MILLÉNIUM BLUES

Du même auteur :

Kiffe kiffe demain, Hachette Littératures, 2004 ; Le Livre de poche, 2007.

Du rêve pour les oufs, Hachette Littératures, 2006 ; Le Livre de poche, 2008.

Les gens du Balto, Hachette Littératures, 2008 ; Le Livre de poche, 2010.

Un homme, ça ne pleure pas, Fayard, 2014.

Faïza Guène

Millénium blues

roman

Fayard

Pages 50 et 51, « Chiquitita », ABBA, paroles et musique de Benny Andersson et Björn Ulvaeus, © Universal Music. Pages 139 et 140, « I Have a Dream », ABBA, paroles et musique de Benny Andersson et Björn Ulvaeus, © Universal Music. Pages 174 à 176, « The winner takes it all », ABBA, paroles et musique de Benny Andersson et Björn Ulvaeus, © Universal Music. Page 214, « Pas de temps pour les regrets », Lunatic, paroles de Yassine Sekkoumi et Elie Yaffa, musique de Laurent Geraldo, © Sony/ATV. Pages 152 et 153, « November Rain », Gun's N' Roses, paroles et musique de Slash, Izzy Stradlin, Duff Mc Kagan, Darren Reed, Matt Sorum et Axl Rose, © Guns N' Roses Music / Warner Chappell Music / Musicsales. Page 186, « A Vava Inouva », Idir, paroles et musique de Idir et Mohamed Ben Hamadouche, © Warner Chappell Music. Les traductions sont de l'auteur.

Couverture : Hokus Pokus

ISBN : 978-2-2136-8124-5

À ma fille.

Partie I

LE PASSÉ
(décomposé)

18 ANS

*

« PORTE DE CLICHY – 11 AOÛT 2003 »

Une flopée de vieux y sont restés cet été-là. On n'avait jamais vu une chose pareille. Ils n'arrêtaient pas de dire que ce qu'on vivait était « sans précédent ». À la télévision, sur toutes les chaînes, on donnait l'alerte maximale. Des communiqués du ministère de la Santé nous demandaient de veiller sur « les plus fragiles d'entre nous ». Il nous fallait être attentifs et les hydrater : leur faire boire de la flotte, les mettre dans un bain tiède et vaporiser, encore et toujours, à coups de brumisateurs (qui se vendaient par millions). C'était la canicule.

« Carmen monte la clim !

– Elle est à fond !

– T'es sûre ? Fais voir !

– Elle est au maximum j'te dis !

– T'es au courant que j'suis asthmatique ?

– Qu'est-ce que ça peut me foutre ? Je suis pas médecin. »

Des camions de pompiers nous doublaient régulièrement, ils roulaient à vive allure, sirènes hurlantes.

« Ça, c'est des gens qui font des malaises.

– Qu'est-ce que t'en sais ? C'est peut-être des incendies.

– Des malaises j'te dis, c'est les pépés qui tombent comme des feuilles mortes.

– Tu crois que tous les vieux qui claquent en ce moment ça changera quelque chose à la réforme des retraites ? »

Les hôpitaux étaient débordés. De toute façon, ils le sont toujours pour une raison ou pour une autre.

Quand j'étais petite, je disais à mon père que je voulais devenir « docteur des bébés ». Et lui, au lieu de prendre ça en compte, de me dire quelque chose d'encourageant, genre : « C'est bien », il répondait : « T'es pas assez intelligente pour ça. Toi, il faudrait que tu travailles dans une boulangerie. »

Il avait des idées louches. Comme si tous les boulangers étaient bêtes.

« Carmen ?

– Quoi ?

– T'es sûre qu'elle marche ta clim ?

– ...

– Bah quoi ? Tu peux regarder, non ?

– La vie de ma mère, tu me reparles de ma clim, je tire le frein à main, tu descends.

– Ça va, c'est bon, j'ai rien dit. »

C'était bouché.

Pas le genre d'embouteillage qu'on pouvait prévoir. Compte tenu de l'heure et du trafic habituel dans cette zone, rien ne laissait présager ça. C'était tout de même le mois d'août.

« Probablement un accident », on se disait. Carmen fulminait : « J'aurais jamais dû passer par là ! » Il y avait un certain nombre de poids lourds sur la route, l'un d'entre eux nous faisait de l'ombre, c'était agréable.

Enfant, dans l'autocar qui nous emmenait à Alicante pour les vacances, je collais mon front contre la vitre et je comptais les traits sur l'autoroute. Des traits réguliers, qui, si on les regardait fixement, finissaient par se confondre et ne plus former qu'une longue ligne jusqu'à la mer.

À un moment, mon père me réveillait brusquement. J'ouvrais les yeux dans un sursaut. Les pères sont brusques. Ils pourraient poser leur main délicatement sur l'épaule ou la joue, en chuchotant, mais non, ça, ce sont les mères qui le font.

Mon père, lui, m'attrapait le bras et me secouait. Il disait : « Eh, oh, lève-toi, le car s'arrête j'te dis ! Allez, magne-toi, va pisser, c'est maintenant ou jamais, après il s'arrêtera p'u ! »

Lui, il se dégourdissait les jambes.

Deux jambes fines et tellement longues qu'on ne remarquait même pas son buste. Le reste de son corps ne semblait pas si important. Elles conduisaient vos yeux directement à son visage, comme des flèches. Quand on le regardait, c'était d'abord les jambes, hop, et ce visage creusé, ces yeux sombres enfoncés dans une broussaille de sourcils. Et puis sa mâchoire serrée, légèrement avancée, qui l'empêchait de sourire.

Avec sa cigarette au bec, il marchait lentement, légèrement voûté, en regardant au sol, attentivement. Il avait l'allure d'un chercheur d'or.

Il se dégourdissait donc les jambes et, de temps à autre, faisait des étirements ridicules. Quelques bonds, puis des petites foulées. De nouveau, un, deux, trois bonds. Une dernière clope, ensuite, il remontait dans le car. C'était toujours le premier à remonter dans le car.

Il ne prenait même pas la peine de vérifier qu'il ne m'arrive rien sur cette aire d'autoroute. 11 ou 12 ans, c'est quand même pas tout à fait adulte. Il ne demandait pas non plus si j'avais envie de quelque chose (un magazine ou un paquet de friandises par exemple). Il était, en tout cas, le premier à remonter dans le car.

« Mets France Info, il est 13 heures. Ils vont dire pour demain.

– Ils vont dire quoi ?

– La température.

– Ils diront rien de nouveau, ils diront qu'il fera chaud et c'est tout. Rien de plus. 40, 41 ou 42, qu'est-ce que ça peut faire ? Il fera encore plus chaud que ce qu'ils vont annoncer. *Demain, ce sera un aperçu de l'enfer.*

– Mets France Info j'te dis, ils vont parler des orages aussi. »

Je nettoyais le tableau de bord poussiéreux du bout de l'index. La voiture, c'était une SEAT. Le modèle, impossible de m'en rappeler, mais je revois encore très nettement le porte-clefs suspendu au rétroviseur. Une jolie petite poupée qui portait une robe de flamenco. Elle allait et venait, au gré des freinages et des virages. Et vraiment, je me souviens, elle donnait l'impression de danser. Si le pare-brise de Carmen était bien propre et que l'horizon était dégagé, la petite danseuse pouvait fendre le ciel. Elle dansait sur les nuages.

Il y avait la climatisation qui fonctionnait mal et faisait un bruit de réfrigérateur, il y avait la jolie petite danseuse de flamenco qui virevoltait, et aussi la voix inquiète de cette journaliste qui disait que « d'après Météo-France la vigilance serait au maximum, que la nuit dernière il y avait eu énormément de dégâts, en particulier dans le Sud-Ouest… ». Puis, il y a eu ce scooter, un 125 cm^3, qui se faufilait, zigzaguait entre les voitures et qui est arrivé très vite, je crois qu'il était gris.

Carmen a simplement remarqué que la file de droite se dégageait un peu. Comme c'était bouché depuis un certain temps, elle a fait ça sans vraiment y réfléchir, un coup de volant instinctif.

On a freiné sec, après le choc. Il y avait toujours la voix de la journaliste qui n'était plus inquiète, mais enjouée. Elle était déjà passée à autre chose. En une fraction de seconde, elle avait balayé une information, et une autre et une autre…

Carmen a éteint la radio et a mis ses feux de détresse avant de plaquer ses deux mains contre sa bouche. Elle regardait sur la droite, s'est mise à trembler de plus en plus. Ses feux de détresse. Tic tac tic tac.

Très vite on sait que c'est grave. C'est fou quand j'y repense. On a su ça tout de suite.

Je revois nettement le scooter s'écraser et propulser un corps désarticulé quelques mètres plus loin. Le corps d'une jeune femme frêle qui ne se relèverait plus jamais. Il faisait plus de 40 degrés. Elle portait une robe jaune à petits pois bleus.

20 ANS

*

« CARMEN »

J'aurais aimé qu'on m'appelle Carmen.

Carmen, c'est l'opéra le plus joué au monde. C'est Séville. C'est le feu. C'est un tempérament. Un destin.

Quand tes parents t'appellent Carmen, ils déposent à tes pieds un tapis de roses rouges, un chemin bordé de chandelles.

L'avocat général a dit : « Carmen Pereira, née le 5 avril 1983 à Paris... », il a dit clairement et d'une voix grave et tranchante : CARMEN PEREIRA. Et je n'ai entendu que : Carmen Périra, *périra*. Comme une sentence. Quelque chose d'inévitable, de tragique, comme le poignard que Don José enfonce dans le cœur de la bohémienne à la fin de l'acte 4.

Carmen, debout, raide, le regard absent, regardait sur sa droite comme si la jeune femme frêle était allongée là, sur le parquet de la salle d'audience, comme si ça venait d'arriver.

La maman de Carmen, assise juste derrière, avec son carré noir et sa frange coupée au millimètre, faisait des signes de croix répétitifs, puis joignait les mains en baissant la tête. Elle sollicitait Jésus.

De loin, comme ça, elle donnait l'impression de chorégraphier la chanson « Tête, épaules, genoux, pieds, genoux, pieds… Head, shoulders, knees and toes, knees and toes… »

Il y avait des bustes sculptés, posés dans les renfoncements des murs. Des statues dont les regards accusaient, eux aussi. L'odeur du cuir épais des sièges se mêlait à celle de l'haleine des avocats.

Cette scène au tribunal de grande instance de Paris, je ne saurais plus dire si elle était réelle, totalement, ou en partie, si elle a eu lieu entre ces murs pour de vrai ou si je l'ai rêvée. C'est encore brumeux.

Homicide involontaire. « Être à l'origine de la mort d'une personne sans l'avoir voulue. » Voilà, à 22 ans, Carmen a tué quelqu'un (sans le faire exprès).

12 ANS

*

« SOYEZ PAS DÉSOLÉS »

Quand elle a pris l'appartement, ma mère m'avait dit : « On va enfin commencer notre nouvelle vie. »

On avait décollé l'ancien papier peint jusque tard dans la soirée. Il y avait des fleurs mauves dessus. Maman disait : « Mais bon sang, comment c'est possible d'avoir si mauvais goût ! Ça me donne le mal de mer ! »

J'imaginais les gens qui avaient vécu là, avant nous, pleins d'entrain le jour où ils avaient choisi ce papier peint à motifs (qui sans doute était à la mode à cette époque).

Ils en ont probablement été fiers, et l'un d'entre eux a même dû penser : « On va enfin commencer notre nouvelle vie. »

Ces énormes fleurs mauves qu'on décollait rageusement incarnaient la fin d'une ère.

La mère de Carmen nous avait remis les clefs quelques jours plus tôt. Elle a répété plusieurs fois qu'elle était la gardienne de ce bloc d'immeubles depuis dix ans. *Depuis dix ans*. Un ton plus aigu pour dire *dix ans*. Dix ans de gardiennage et tout ce que cela suppose de pannes d'ascenseurs et de flaques de pipi. Maman la trouvait « un peu coincée mais sympa ». Pour peu qu'une personne ne réagisse pas à ses sarcasmes, elle la trouvait coincée de toute façon.

« Quel âge tu as ?

– J'ai 12 ans. »

Elle me parlait sans me regarder dans les yeux.

C'était étrange, mais elle regardait mon menton. Il faut s'y faire, Sylvia, la mère de Carmen, parle aux gens en les regardant droit dans le menton.

« J'ai une fille qui en a 14. Elle s'appelle Carmen. Vous pourriez jouer ensemble. Tu es inscrite au collège ? (À ma mère :) Elle est inscrite au collège ?

– Pas encore, je vais m'en occuper.

– Elles seront peut-être dans la même classe, ma fille a redoublé deux fois. »

Pendant qu'elle lui parlait, ma mère avait touché le bas de son visage, inquiète. Elle m'avait demandé en aparté : « J'ai un bouton quelque part ou quoi ? »

Ma mère était coquette et, plus que toute autre chose, elle entretenait ses mains. Elle se vernissait les ongles, avec application, en se mordillant la lèvre inférieure, comme si ça l'empêchait de déborder. (Elle n'aimait pas avoir les mains négligées parce qu'elle était vendeuse en bijouterie.)

Les doigts fins et délicats de maman sont entrés en collision avec ceux, courts et abîmés, de Sylvia, dans une poignée de main de bienvenue.

« Merci madame Pereira.

– Appelez-moi Sylvia, je vous en prie.

– Moi c'est Lucie ! Enchantée ! (Grand sourire de maman.)

– Tiens, c'est rigolo ça : Lucie ! Comme la chanson de Pascal Obispo ! » (Rétractation du grand sourire de maman.)

Cette année-là, on a entendu ce morceau partout. Maman, ça lui chauffait les oreilles. Elle détestait la variété. Et n'était plus très loin de détester son prénom aussi.

« C'est pas marqué dans les livres, que le plus important à vivre, c'est de vivre au jour le jour… Le temps, c'est de l'amour… »

(« Le temps, c'est de l'amour » ?? Sérieux ? Ça veut dire quoi putain ?)

On a quitté Sylvia Pereira et maman n'a pas pu s'empêcher de marmonner. *« Bonjour les références de beauf. Je déteste cette chanson. Elle me donne le mal de mer. »*

C'était plus fort qu'elle, il fallait toujours qu'elle trouve quelque chose à redire.

Elle critiquait 24 sur 24 mais, à elle, on ne pouvait rien dire.

Si j'avais le culot de contester une de ses décisions, si j'exprimais un désaccord, j'avais droit à un interminable monologue culpabilisant qui commençait par : « Je te rappelle que j'ai passé vingt-huit heures trente sur la table d'accouchement ! Vingt-huit heures trente ! » et finissait par : « Je me suis battue pour avoir ta garde et je me sacrifie pour t'élever ! Il est où ton père, hein ? Il est où là ? » Elle disait ça en regardant autour d'elle ou en levant les yeux au ciel. Comme si elle le cherchait. « Hein ? Il est où ? Tu le vois quelque part toi ? »

(J'en ai rêvé des dizaines de milliers de fois ; qu'il sorte de derrière le canapé, ou qu'il entre par la fenêtre en mode Jean-Paul Belmondo pour lui fermer son clapet : « Abracadabra ! Toc toc badaboum ! Coucou, c'est moi ! »)

Chaque fois qu'elle apprenait à quelqu'un la nouvelle de la séparation d'avec mon père et qu'on lui témoignait de la compassion, qu'on se montrait *désolé*, elle répondait du tac au tac d'un air détaché : « Oh ! je vous en prie ! Soyez pas désolé, c'était pas un cadeau ! » Elle répondait systématiquement : *c'était pas un cadeau.*

Elle adorait faire du sarcasme à ce sujet et ça ne m'amusait pas du tout. Au contraire, ça me réconfortait qu'on puisse être désolé pour moi.

Le jour où elle a obtenu son jugement de divorce, ma mère a fait la bringue avec ses copines jusqu'au petit matin. Ça la faisait se sentir chic de « fêter ça ». Pour elle, c'était innovant, moderne, « ça se faisait beaucoup aux États-Unis ».

Cette nuit-là, elle m'avait confié à ma tante pour boire du champagne en talons hauts parce qu'elle venait tout juste d'officialiser sa rupture avec un homme qui avait partagé quinze ans de sa vie. Un homme qu'elle avait aimé. Qui laissait une odeur âpre de sueur sur sa taie d'oreiller. Qui avait les jambes beaucoup trop longues, qui marmonnait souvent au lieu d'articuler. Qui était maladroit et avare en compliments. Qui conduisait mal et aimait la mauvaise variété française. Mais qui lui avait tenu la main pendant les vingt-huit heures trente qu'elle avait passées sur la table d'accouchement.

13 ANS

*

« UN FRUIT DE L'AMOUR »

Il me regardait longuement et soupirait en hochant la tête : « Si au moins tu t'arrangeais un peu... Toi, non, t'essaies même pas de t'arranger. »

Il disait souvent : « Marche comme une fille. »

J'ai gardé ça longtemps en tête, *Marche comme une fille.*

Un jour, il l'a tellement répété que j'ai fini par lui répondre en hurlant : « C'EST CE QUE J'ESSAIE DE FAIRE !!! »

On sortait à peine de chez l'orthodontiste qui m'avait posé ma première rangée de bagues et ça faisait un mal de chien. Je n'arrivais pas à articuler, j'ai tout juste réussi à lui postillonner mon charabia à la figure.

Il s'est figé et m'a regardée droit dans les yeux : « C'est pour toi que j'dis ça, si tu préfères continuer à te tenir mal... »

Et puis il a fait une chose avec ses lèvres, genre *tant pis pour toi.* Ses petites lèvres brunes et toujours mouillées étaient capables de dire des choses tellement sèches. Il a tiré une longue bouffée de cigarette roulée et la fumée était ressortie par les narines. Je me rappelle que ses cigarettes roulées étaient déjà toutes prêtes, il les alignait dans une petite boîte en métal sur laquelle un aigle royal déployait ses ailes.

On s'est remis en route et quelques enjambées de mon père ont suffi à ce qu'il me dépasse de plusieurs mètres. « Allez dépêche-toi ! J'vais rater le catch ! »

À une période, il demandait sans arrêt : « Et ta mère ? Elle voit quelqu'un en ce moment ? »

J'sais pas. J'en sais rien.

« C'est un Arabe ? Un Black ? Un Blanc ? »

Arrête papa !

« Tu veux pas me l'dire, hein ? Hein ? C'est ça, non ? Elle t'a demandé de pas m'en parler, c'est ça ? »

Non papa, j'en sais vraiment rien !

Avant, au début, c'est moi qui posais les questions.

« Pourquoi t'es parti papa ? Quand est-ce que tu vas rentrer à la maison ? Pourquoi elle pleure maman ? C'est à cause de moi ? »

Je n'ai jamais eu aucune réponse.

J'ai eu ce sentiment, pendant des années, qu'avant moi c'était le paradis.

Je faisais partie du *monde d'après*, du club de *la faute à qui*, j'étais sur la liste noire universelle de *ce qui a tout gâché.* On y trouve en vrac : *l'enfant du divorce*, *l'euro, le Botox, le 11 Septembre*… et j'en passe.

Les polaroïds jaunis sur lesquels on pouvait voir maman assise sur les genoux de papa sont explicites : elle riait aux éclats. Quasiment sur toutes les photos, ils sont dans les bras l'un de l'autre, ils se touchent.

C'est indéniable. Mes parents se sont aimés.

Mais avant moi.

C'était avant moi. Je me fiche qu'ils se soient aimés dans le passé, je me fous d'être un fruit de cet amour. Cet amour, j'aurais voulu en être témoin.

« À quelle heure il te ramène l'*autre* dimanche soir ?

– 19 heures.

– 19 heures ? Ça fait tard 19 heures, tu dois te laver les cheveux et faire tes devoirs !

– Mais je l'ai pas vu le week-end dernier !

– Je sais que tu l'as pas vu ! J'y peux rien moi si monsieur a autre chose à foutre que voir sa fille !

– Il avait du travail ! C'était le Salon du BTP le week-end dernier et il avait prévenu.

– Et il pouvait pas trouver un autre moment pour vendre son ciment ??

– Bon, j'peux y aller ?

– Tu le défends toujours de toute façon… T'as pris toutes tes affaires ?

– Oui.

– Il a réparé sa voiture ?

– Non, elle est encore au garage il a dit.

– Putain c'est pas vrai ! Quel boulet ! Mais quel boulet ! Il me donne le mal de mer !

– C'est pas grave, on va prendre le train, j'aime bien prendre le train.

– Bon, écoute-moi chérie, mange bien surtout, s'il a rien au frigo ou dans les placards, tu lui demandes de te commander une pizza et ne te couche pas en même temps que lui, il se couche toujours à des heures pas possibles… »

Deux ou trois parts de pizza plus tard, après avoir entendu : « Ça suffit avec la pizza ! Tu vas finir par ressembler à une truie ! », je finissais par m'assoupir sur le canapé convertible qu'on ne s'embarrassait même plus à déplier. J'étais recroquevillée dans un coin et l'accoudoir faisait office d'oreiller. Semi-endormie, je sentais mon père me remonter sur les épaules la couverture rêche et puante qui m'était réservée les week-ends où je dormais là.

La télévision restait allumée la plupart du temps, parfois toute la nuit, souvent les chaînes du câble qui diffusaient les matchs de catch. Il adorait ça.

On avait suivi l'affrontement *Shawn Michaels VS Bad Blood*. Tandis que lui faisait quelques commentaires de temps à autre (« T'as vu le morceau ? C'est un sacré morceau, l'Américain ! 102 kilos » – il connaissait le poids des catcheurs, à croire qu'il les avait pesés un par un), moi, je faisais mine d'être impressionnée par le spectacle. Je me demandais : « Comment est-ce possible d'avoir des veines aussi énormes ? Un cou aussi large ? »

La moitié des stars du catch dont mon père avait suivi la carrière avaient été foudroyées avant 40 ans par un arrêt cardiaque ou une overdose.

À l'issue du week-end, je lui avais lancé : « Pas la peine de m'accompagner, j'suis assez grande. »

Il m'avait laissée là, sur le quai, après avoir dit : « Embrasse ton père. » Il parlait de lui à la troisième personne. Comme Alain Delon.

« Tu crois qu'il bosse pas *ton père* ? Tu penses qu'il fout rien de ses journées *ton père* ? Il a pas que toi à penser *ton père* ! C'est comme ça qu'elle te parle de *ton père* ta mère ?? Il fait de son mieux *ton père* ! »

C'était à se demander si c'était vraiment lui *mon père*, parce que c'est comme s'il parlait de quelqu'un d'autre.

« Embrasse ton père. »

Un bisou pudique. L'odeur du tabac. Les joues qui piquent. « Bonsoir papa, à la prochaine. »

Ses deux longues jambes maigres s'enfonçaient peu à peu dans l'obscurité du quai. Arrivait alors un train bondé de banlieusards impatients de rejoindre leur maison à crédit, et le dernier wagon, dans un raffut terrible, avalait mon père et ses deux baguettes magiques.

Carmen venait me chercher à l'entrée de la gare, près du kiosque à journaux. Toujours au même endroit. Il n'était pas 19 heures, mais 18 heures. J'avais une heure pour traîner, tous les dimanches, avec Carmen.

Mes parents ne s'en sont jamais rendu compte. J'étais leur unique intermédiaire. Je disais 18 heures à mon père et 19 heures à ma mère, ça les contrariait tous les deux, l'un trouvait ça trop tôt et l'autre trop tard, mais aucun d'entre eux n'appelait pour protester. Je m'offrais une heure à moi, une heure entière durant laquelle on ne me partageait pas. Je regardais Carmen qui arrivait au loin. Ses seins faisaient des rebonds dans un soutien-gorge beaucoup trop petit pour elle. Elle avait une poitrine tellement énorme pour son âge qu'elle souffrait du dos, alors que nous autres, c'était la seule responsabilité de nos cartables surchargés.

Carmen tirait la gueule.

« Qu'est-ce que t'as ?

– J'ai mes règles. J'en ai marre.

– T'as de la chance.

– Tu déconnes ? Chance de quoi ?

– T'es une adulte maintenant, t'es dispensée pour la piscine et tu peux mettre des serviettes hygiéniques, tout ça…

– Tu connais le prix d'un paquet de serviettes hygiéniques ? T'es conne. T'as pas idée. *C'est toi qui as de la chance*. T'as pas encore tes règles, pas un poil sous les bras, et ta mère a divorcé.

– Tu trouves que c'est bien ?

– Ouais. Je trouve que c'est bien. Ma mère, je voudrais qu'elle ait le cran de le faire. »

15 ANS

*

« REFAIRE SA VIE »

Est-ce qu'il existe une expression plus stupide que ça ?

On ne refait jamais sa vie. On la continue, tant bien que mal, en boitant, la figure pleine de cicatrices.

Ni mon père ni ma mère ne se sont remis de leur divorce.

Lui prenait moins de douches et fumait plus de cigarettes. Il a rencontré quelques femmes abîmées, qui boitaient aussi, et ils partageaient leurs solitudes pour un temps.

Maman, elle, parlait en boucle de son histoire, de sa rupture. C'était comme un vieux refrain. Elle lui mettait tout sur le dos. Si elle n'arrivait pas à avancer, c'était de sa faute à lui. Si elle ne rencontrait personne, c'était à cause de lui. Souvent, elle disait : « *Si je pouvais revenir en arrière, le jour où on s'est rencontrés dans cette station-service… J'effacerais tout… Si c'est pas le destin, ça ! Un type que tu rencontres dans une pompe à essence, il te pompe, voilà, il te pompe ta vie, ton énergie, tes ambitions... Méfie-toi de la première rencontre ! Dans la première rencontre, en vérité, il y a déjà toute l'histoire ! »*

Elle effacerait tout.

Elle le disait naturellement.

Elle m'effacerait moi aussi alors ?

15 ANS

*

« KATE MOSS »

Carmen n'avait peur de rien. Elle ne craignait personne.

Je veux dire, même dans sa façon de marcher ou de regarder les gens, ça se sentait.

Elle inspirait le respect.

« Mets ça dans ta poche.

– Nan ! T'es folle ! On va se faire attraper !

– Allez, on s'en fout. Vas-y j'te dis.

– Fais-le toi.

– Franchement t'as pas de couilles. »

Elle a fourré un mascara zéro paquet Gemey Maybelline dans la poche de mon sweat, puis s'est arrêtée un instant devant la photo glacée de Kate Moss. Elle l'a défiée du regard : « Pfff. Sale pute. »

Ensuite, elle s'est tournée vers moi.

« T'inquiète, j'ai déchiré le code-barres. »

À la sortie sans achats, elle a simplement regardé le vigile en souriant.

Moi, je transpirais en regardant mes baskets bon marché.

« Mademoiselle ?! »

Carmen était détendue. Elle s'est mise en face de lui.

« Oui ?

– Tu viens souvent ? C'est la première fois que je te vois ici.

– Ouais, j'suis déjà venue. Plein de fois.

– C'est vrai ? C'est bizarre... Je me serais rappelé de ton visage. »

Il parlait de son visage et il louchait sur sa poitrine.

Carmen a minaudé un peu avant de lui donner son numéro. Sur le parking, elle riait et sortait de ses poches tous les trucs qu'elle avait piqués. (Une lime à ongles, un déodorant en stick, une boîte de pansements et des carrés ail et fines herbes.)

« Eh ! comment j'aime trop ce fromage !.... Merde, j'aurais dû prendre du pain. T'en veux ?.... Vas-y ! Donne le mascara ! »

Elle était sûre d'elle. Elle pouvait tout faire.

C'était impossible de ne pas la regarder. Impossible de ne pas la remarquer.

« Tu vas sortir avec lui ?

– Je sais pas. On verra.

– Il a l'air vieux.

– Et alors ? Je lui ai dit que j'avais 20 ans, il m'a crue ce bouffon. »

13 ANS

*

« CHAMPIONS DU MONDE »

Zizou ! Zizou ! Zizou !

Vous vous souvenez de ça ?

Cet été-là, c'était unique.

Aimé Jacquet et son carnet qu'il tenait tout contre son cœur. Ce que Lilian Thuram a fait face à la Croatie. Et les deux buts de Zidane.

De la tête. Les deux !

La foule, sur les Champs-Élysées.

Une parenthèse de joie et de beauté avant la crasse des années 2000. Quand j'y pense, ça me donne le blues.

Mon père avait collé des images de tous les joueurs de l'équipe de France sur son frigo. C'est comme ça que j'étais tombée amoureuse de Youri Djorkaeff, par accident, en ouvrant le réfrigérateur. Je lui parlais droit dans les yeux. Je considère que Youri Djorkaeff est mon premier amour. Sur la photo de l'autocollant, il avait un sourire crispé et un regard coquin.

Parfois, j'imaginais nos disputes.

« Youri, arrête, t'es de mauvaise foi là... Nan, Youri, j'ai pas envie qu'on en parle... Toi et ta jalousie, c'est dingue, je le connais même pas, ce mec, t'es complètement parano... »

En ce temps-là, mon père était en couple avec Nadine : une Corse qui travaillait dans un bar PMU et louait le studio meublé juste au-dessus de chez lui.

Elle faisait des permanentes pour se friser les cheveux et les teignait en blond platine.

Carmen se moquait tout le temps : « Ça va ton père ?... Et son caniche, ça va ? » Des fois, elle demandait : « Ça te fait pas bizarre que ton père il sorte avec Michel Polnareff ? »

Au début, je m'entendais bien avec Nadine.

Je faisais semblant de ne pas remarquer ses plombages. Elle en avait des centaines, voire des milliers.

Quand elle se marrait, avec son rire rauque plein de toux, elle vous faisait plonger dans un abîme de plombages.

Papa l'appelait *ma Corse*. C'était affectueux. Il lui caressait les cheveux devant la télévision. Ses longs doigts maigres se promenaient dans la permanente de Nadine.

« Tiens, ma Corse, montre-lui, toi, comment qu'elle doit s'arranger là, apprends-lui un peu à marcher comme une fille, à se maquiller et machin... »

(Genre Nadine allait me donner des conseils de style ?)

À ses yeux, elle incarnait la féminité absolue. Mais moi, je me rendais bien compte quand elle gardait la même culotte plusieurs jours d'affilée.

C'est vrai, je la trouvais gentille. Elle s'occupait bien de mon père. Depuis qu'elle était là, son appartement était rangé, elle repassait ses chemises et veillait à ce qu'il mange à des heures décentes. Ils riaient ensemble. Tous les jours, elle amenait des tickets de grattage et, avec mon père, ils grattaient tous les deux. *C'était un couple de gratteurs.*

Un jour, ils ont gagné 400 francs. Ça faisait une somme.

Et, bien sûr, ils ont racheté pour 400 francs de tickets.

Ensuite, Nadine a disparu. Papa n'en a plus parlé du tout.

Je n'arrivais même pas à savoir s'il était malheureux qu'elle soit partie, ou s'il s'en foutait. Il n'était pas loquace. Il n'expliquait jamais rien.

Un jour, il a retrouvé un de ses soutiens-gorge derrière le canapé (?). Il est allé à la cuisine et l'a jeté à la poubelle. C'est tout.

Je remarquais simplement qu'il y avait de plus en plus de mégots dans son cendrier.

C'est comme ça que je mesurais les baisses de moral de mon père, c'était équivalent au niveau de remplissage du cendrier.

***

TOUT LE MONDE SOUFFRE, MÊME LES CONS.

C'est un fait qu'il est important de souligner.

(Je n'ai jamais cru au concept de l'imbécile heureux.)

16 ANS

*

« APRÈS MÉMÉ, LE DÉLUGE »

C'est certain que c'est la pire chose que j'ai eu à faire dans ma vie.

Et je suis encore étonnée de la décontraction avec laquelle j'ai annoncé la nouvelle.

Maman passait l'aspirateur dans la chambre. Il faisait un de ces boucans.

(Un Hoover que ma tante lui avait offert pour son anniversaire. On l'utilisait depuis des années, ça résistait bien. Il aspirait tout, la poussière, les cheveux, la crasse, il aspirait la vie.)

J'ai parlé une première fois et elle n'a rien entendu.

J'ai répété.

Encore une fois.

Ensuite :

« MAMAN !!

– Quoi ?! (Elle a coupé l'aspirateur.)

– Mémé est morte j'te dis ! »

Je n'ai pas compris pourquoi maman s'est montrée si bouleversée.

Elle passait son temps à se disputer avec mémé.

Mémé a toujours détesté mon père, parce qu'il est né en Algérie. (Je parie que, s'il était né n'importe où ailleurs dans le monde, elle l'aurait détesté quand même.)

Mémé disait : « Je te l'avais dit qu'il te laisserait tomber. Ces gens-là, ils sont pas fiables. Je les connais, les bougnoules, ils restent entre eux. Tu verras, maintenant qu'il a bien profité de toi, il va aller se trouver une gamine de 17 ans du haut de sa montagne et se marier avec. »

Elles s'engueulaient des heures avec ma mère, qui finissait par pleurer en dévorant un quatre-quarts breton pur beurre tout entier.

« Et pis pourquoi que t'as donné à ta fille un prénom bougnoule ? Il t'a obligée, c'est ça ? On n'en a pas des beaux noms en France ? Pourquoi que tu l'as pas appelée Michelle ou Virginie comme ta frangine ?

– Comment c'est possible d'être aussi raciste ! C'est débile ce que tu dis maman !

– Je suis pas raciste, j'ai des copains arabes, je les connais par cœur ! »

Mon père n'est pas arabe, il est berbère, et à part son nom (il s'appelle Akli Azouz) je vous assure qu'on ne se rend compte de rien. C'est du jamais-vu. Un Kabyle fan de Johnny Hallyday qui boit du rosé à 19 heures tapantes et qui joue l'été dans un club de boules en banlieue ! En bref, tout ce qu'il y a de plus français.

Quand mémé est tombée malade, ma mère a été la première à dire : « Moi, c'est pas possible, je peux pas m'en occuper… »

Mes tantes, idem. Elles se sont refilé la patate chaude pendant quelques mois, et puis, d'un commun accord, elles l'ont envoyée en maison de retraite médicalisée.

Mémé a eu ses trois filles avant l'âge de 30 ans. À 31 ans, elle était déjà veuve. Elle a eu les épaules de les faire grandir seule. Avec les moyens du bord. Tout ça pour se retrouver, en fin de vie, à se faire engueuler par une aide-soignante obèse parce qu'elle a mouillé son lit.

C'est vrai qu'elle était chiante, mémé, mais c'est pas une raison.

Un enfant, c'est ingrat. *Normalement, c'est chacun son tour : Je change ta couche et, plus tard, tu changes la mienne.*

Pour la première fois depuis leur séparation, mes parents se retrouvaient assis à la même table.

« Je te fais un café ?

– Je dis pas non.

– Un sucre, c'est ça ?

– Non, j'en prends plus. J'ai arrêté le sucre.

– Ah bon ?

– Ça va toi ?

– Mouais. Comme quelqu'un qui vient de perdre sa mère quoi. »

Papa avait pas mal de chantiers à cette époque. Il a prêté de l'argent à ma mère et à mes tantes pour aider à payer les obsèques de mémé.

C'est que ça coûte une tonne de mourir.

Le plus fou, c'est la concession. (Faire payer un loyer aux morts !)

On peut régler pour cinq ans, quinze ans, trente ans ou même quatre-vingt-dix ans... mais, un jour, fatalement, il n'y a plus personne qui paie pour le défunt (puisque tout le monde finit par mourir).

« T'as changé de couleur de cheveux ?

– Oui, ça fait un moment déjà.

– Ça te va pas trop mal.

– Pas trop mal ?

– Ouais. »

Plus tard, quand maman a voulu le rembourser, il a refusé. C'était délicat de sa part.

Elle a apprécié le geste. Pendant quelques mois, ils se parlaient sans se hurler dessus. J'ai même cru qu'ils se remettraient ensemble.

Les enfants du divorce se font des illusions.

Après la mort de mémé, maman s'est mis en tête qu'il fallait profiter de la vie.

Moi, j'ai toujours pensé que c'est plutôt la vie qui profite de nous.

Elle s'est mise à sortir plus souvent, à s'habiller différemment, à rire au téléphone.

« Sylvia, ça t'ennuie pas si je te laisse Zouzou ce soir ?

– ....

– Oui, hahaha..... je sais, c'est dingue, non mais je peux pas...

– ....

– (Elle s'est mise à chuchoter.) Elle est pas loin là, je te raconterai plus tard...

– ....

– Merci beaucoup ! T'es un ange !

– ....

– OK. Babaï. Oui. Babaï. »

Ma mère s'était mise à dire *Babaï* d'une petite voix suave.

C'était tellement *eighties*. Berk. Ça me dégoûtait. Elle disait aussi *Nana*, *bagnole* et *fric*. (Le trio maudit. Combo de mots ringards.)

Je dormais souvent chez Carmen à cette période. Et Carmen, quant à elle, dormait peu. On sautait par la fenêtre, qui n'était qu'à quelques centimètres du sol. C'est l'avantage quand tes parents sont gardiens d'immeuble, ils vivent au rez-de-chaussée.

« Imagine qu'ils nous entendent sortir !

– Mais nan ! Mon père ronfle comme un porc et l'autre, elle dort avec ses boules Quies ! T'inquiète Zouzou !

– T'es sûre ? S'ils s'en rendent compte, ils vont le dire à ma mère et elle va me défigurer.

– Mais t'es une vraie tapette !

– J'suis pas une tapette.

– Alors saute et tais-toi. »

Carmen, quand elle se maquillait et qu'elle portait une robe, on lui donnait facilement 25 ans.

« Dommage qu'on fait pas la même taille, je t'aurais prêté des affaires sinon. »

Kamel est venu nous chercher.

Quand j'y repense, il approchait la trentaine, et c'était un peu limite, mais il avait une voiture et une Carte bleue. Son job était incroyable pour l'époque : *manager dans la téléphonie mobile*. Ça sonnait tellement bien que Carmen donnait l'impression de sortir avec un ingénieur de la NASA.

« Qu'est-ce qu'elle fout là elle ?

– Elle vient avec nous !

– Faut toujours que tu ramènes la petite grosse.

– C'est nous deux ou personne.

– Elle a pas de parents ou quoi cette gamine ?

– Je t'ai déjà dit mille fois, je suis sa nounou, ses parents, ils sont strip-teaseurs, ils travaillent la nuit. »

(Je vous mets au défi de trouver une situation plus humiliante à vivre.)

Carmen pouvait raconter n'importe quoi, on la croyait.

« T'as pas école demain toi ?

– Laisse-la tranquille, t'es chiant !

– C'est bon, bébé, je la taquine…

– Et arrête de m'appeler bébé.

– Bah, j't'aime, t'es mon bébé, j't'appelle bébé. Comment tu veux que je t'appelle ?

– J'ai un prénom, appelle-moi Carmen comme tout le monde.

– Mais je suis pas tout le monde. T'es mon bébé à moi.

– Qu'est-ce que t'as dit là ?

– Mon bébé à moi.

– Redis plus jamais ça. J'suis à personne.

– Façon de parler, te vexe pas. »

Il n'a plus osé la contrarier après ça.

Et moi, assise en tailleur sur la banquette arrière, j'étais comme au spectacle.

Après une balade sur les Champs-Élysées, Carmen a demandé à Kamel de lui prêter son téléphone. Évidemment, comme il était du métier, il avait le forfait Millénium. (Les appels étaient gratuits de 20 heures à 8 heures du matin et les week-ends.)

Le monde a changé *à partir* du forfait Millénium. Désormais, on se parlerait sans limites. *On pourrait se dire autre chose que l'essentiel.*

La jeunesse devenait Millénium, le monde, sous nos yeux, était en train de devenir Millénium.

J'ai le Millénium Blues. Vous l'avez aussi ? Est-ce qu'on en guérira un jour ?

Avant l'an 2000, tout paraissait possible. Les seules frontières étaient celles de notre imagination. Le nouveau millénaire apportait avec lui son lot de promesses.

Des promesses d'égalité et de fraternité. Des promesses de liberté. Des promesses de renouveau. On allait communiquer autrement, plus facilement, plus vite. Et qu'est-ce qu'on avait de mieux à se communiquer que de l'amour et de la beauté ?

D'un air grave, Carmen a dit :

« Éloignez-vous un peu s'iou plaît, j'ai besoin d'intimité. J'dois appeler mon oncle, il a le cancer, il est en phase terminale. »

Kamel semblait inquiet pour elle. Il la regardait encore, il la regardait tout le temps. Je me souviens nettement de son regard noisette qui se posait sur Carmen.

Il ne l'avait quittée des yeux que pour vérifier son rétroviseur et refaire ses lacets. Il cueillait sa beauté. Il était plein d'amour pour elle.

Moi, je ne m'intéressais ni à la voiture ni à la Carte bleue.

J'aurais aimé, déjà, à cet instant, que se pose sur moi un regard plein d'amour et de désir. Ce soir-là, j'ai compris que j'en avais besoin. (Je n'étais pas jalouse de Carmen. J'attendrais mon tour.)

Une Ferrari rouge passa à vive allure et elle fit un bruit d'enfer. C'était comme un aperçu du futur. Kamel a sifflé et a fait : « Popopopopoooo » parce qu'il était impressionné. Beaucoup de gens sifflent ou font popopopopooo lorsqu'ils sont impressionnés.

« Ça doit être un prince ça !

– Comment tu sais ?

– Parce qu'il a une plaque d'immatriculation saoudienne.

– Ah bon ?

– Ouais.

– Et tous les Saoudiens sont princes ?

– Je crois ouais. La plupart. »

Kamel avait les yeux rivés sur Carmen qui parlait au téléphone. Elle tournait en rond, jouait avec ses cheveux et se mordillait la lèvre. (C'était évident qu'elle parlait à Carlos, son autre mec, et pas à un oncle cancéreux.)

Je regardais Kamel et je me disais : *Qu'il est con quand même !*

« Et toi, t'as un copain ?

– Nan.

– Pourquoi ?

– J'ai pas envie.

– Tu rougis…

– Non.

– Si, tu rougis, c'est mignon.

– N'importe quoi, j'ai juste un peu chaud aux joues.

– Si je peux te donner un conseil, tu devrais t'arranger un peu et *marcher comme une fille...* »

Mais qu'est-ce qu'ils avaient tous à m'emmerder avec ça ?

Quand Carmen est revenue dans la voiture, Kamel l'a embrassée. Ça a duré des plombes. On aurait dit qu'il voulait en avoir pour son argent.

Ils oubliaient tous les deux que j'étais là, à l'arrière, en train de vivre un moment gênant.

« Carmen, rends-moi mon walkman s'te plaît. »

Regard noir de Kamel. Qui n'a jamais su qu'il était hors-la-loi puisque Carmen était mineure.

« T'es chiante... Tiens ! Prends-le ton putain de walkman et attends-nous dehors ! »

À peine suis-je descendue de la voiture qu'il a verrouillé toutes les portes. (Comme si j'avais envie d'assister à ça.)

J'ai enfoncé les écouteurs dans mes oreilles, en les faisant tourner, je les vissais au maximum. Je me suis assise sur le trottoir et ça sentait l'urine et les égouts.

Dans le walkman, il n'y avait qu'un seul et unique disque. Il appartenait à ma mère : Abba *The Greatest Hits*. J'étais trop jeune pour l'assumer, mais j'ai aimé Abba, j'ai aimé Abba dès la première seconde de la première chanson que j'ai écoutée de ce groupe. Je mettais « Chiquitita » en boucle. Aux premiers accords de guitare, le frisson dans mon dos. « Chiquitita », c'est beau et triste. C'est comme la vie.

Quand mon père est parti de la maison, ma mère l'écoutait tout le temps et ça la faisait craquer, alors elle se mettait à pleurer. C'était toujours au refrain qu'elle s'effondrait. Son corps, comme sans force, était attiré vers le sol. Au strict sens du terme, elle ne tenait plus debout.

Je me sentais tellement impuissante quand elle pleurait, j'avais ses larmes en horreur. Et je détestais mon père, temporairement. Ensuite, ça finissait par passer et j'avais hâte que le week-end arrive pour le voir, lui et ses grandes jambes.

Je me demandais bien où pouvait être maman en ce moment, et surtout avec qui. Si ça allait redevenir comme avant, quand j'étais le centre de son monde.

Chiquitita, you and I know
Chiquitita, toi et moi savons
How the heartaches come and they go and the scars they're leaving
Comment les peines de cœur vont et viennent et les cicatrices qu'elles laissent
You'll be dancing once again and the pain will end
Tu danseras de nouveau et la douleur s'arrêtera
You will have no time for grieving
Tu n'auras plus de temps pour t'affliger

Chiquitita, you and I cry

Chiquitita, toi et moi pleurons

But the sun is still in the sky and shining above you

Mais le soleil brille toujours dans le ciel au-dessus de nous

14 ANS

*

« CRISES »

Je l'entendais dire ça à longueur de temps.

« J'ai le mal de mer. Ça me donne le mal de mer. Bla bla bla. »

Elle le disait pour un oui ou pour un non.

C'était son expression fétiche.

Et moi, en réalité, ce que je l'entendais dire, c'était : « mal de MÈRE ». (J'ai le mal de mère ? J'ai mal d'être mère ? J'ai du mal à être mère ?) Je ne sais pas. Psy, c'est un métier.

Est-ce que ma mère était sur un bateau ?

Elle donnait cette impression.

Comme si elle avait cru embarquer pour une croisière en Méditerranée et qu'elle s'était retrouvée par erreur sur le *Titanic*.

Quand elle m'engueulait, elle finissait par dire :

« Tu crois que c'est ça la vie que je voulais ? Hein ?! »

Comme si les gens avaient la vie qu'ils voulaient. Pff.

D'ailleurs, même si on leur donnait la vie qu'ils voulaient, ils demanderaient à en changer. Au fond, peu importe la vie qu'on nous donne à vivre, on en fait n'importe quoi.

Maman était une femme de crises.

Elle a fait sa crise de la quarantaine. Plus jeune, elle faisait des crises d'asthme. Chaque fois qu'elle reparlait de mon père, elle faisait une crise d'urticaire.

Mais, surtout, elle avait ses crises de boulimie, ses crises d'hystérie. Parfois, les deux ensemble. Ça donnait des crises de *boustérie*. C'était pas beau à voir : « Dégage de là ! Va dans ta chambre ! Ne me regarde pas quand je mange ! »

Contrairement à mon père, elle ne m'a jamais présenté personne.

Pour me protéger, j'imagine. Protéger son enfant, c'est ce qu'est supposée faire une bonne mère.

Je devinais très facilement quand elle était au début d'une histoire : « Tu dors chez Carmen ce week-end chérie, c'est Sylvia qui te garde, moi j'ai des choses à faire »... « Ferme la porte s'il te plaît, je suis au téléphone. »

Je devinais tout aussi facilement quand c'était la fin. (Cf. crises de *boustérie.*)

17 ANS

*

« MOYENNE »

La conseillère m'avait convoquée.

On me l'avait vendue comme un GPS de la vie professionnelle, un guide, une boussole, qui m'aiderait à explorer toutes les possibilités qui s'offraient à moi.

Je me souviens de ce jour-là parce que je portais des lunettes pour la première fois de ma vie et c'est comme si je redécouvrais le monde. Ma rue, l'autobus, les panneaux publicitaires, l'enseigne des pompes funèbres, les arbres et les nuages d'un blanc pur, qui, enfin, se distinguaient les uns des autres. Comme un signe, je m'étais dit que j'allais probablement y voir plus clair.

Au lycée, j'avais l'impression d'être la seule élève à ne pas savoir, la seule à ne rien envisager. J'aurais voulu avoir une vocation, une ambition, un rêve. Mais rien de tout ça. Je me levais, matin après matin, avec un objectif médiocre : tenir jusqu'à la fin de l'année scolaire.

Dans le bureau de la conseillère, il y avait une odeur de lasagnes épinards-ricotta et ça m'avait mise en confiance.

« Alors Zouina ? Tu as réfléchi ?

– Oui, un peu, mais je sais pas. Je trouve pas.

– Qu'est-ce qui t'intéresse en général au lycée ? Tu as des matières favorites ?

– ... Pas vraiment. L'histoire vite fait.

– Bon, et en dehors du lycée, tu as des passions ? Tu pratiques une activité ? Un hobby ? Un sport ?

– Heu... Nan. Je fais la cuisine quand je suis chez mon père. Sinon... je regarde les clips le matin.

– Va falloir m'aider un peu, là, quand même.

– C'est pas vous qui devriez m'aider normalement ?

– Oui, c'est bien ce que j'essaie de faire. Excuse-moi, mais je regarde les résultats sur tes bulletins du deuxième et du troisième trimestre et y a rien d'évident. Tu es moyenne partout. Dans toutes les matières. Moyenne. »

« Moyenne ». Elle a rebouché son stylo et l'a posé. Ce geste signifiait quelque chose de définitif. C'était comme si elle avait son idée sur moi et sur le reste de ma vie.

Je trouve qu'être moyen, c'est pire qu'être nul. (Il y a une certaine nonchalance dans la nullité, qui peut être séduisante.)

Personne ne se souvient des gens moyens.

On se souvient bien des dictateurs, des criminels, des injustes.

On se souvient des explorateurs, des génies, des héros.

Mais personne ne se souvient des moyens. Les moyens sont anonymes et insignifiants. Ma conseillère d'orientation venait de me ranger dans la pire catégorie.

J'ai fini par me rendre à l'évidence. Je ne ferais jamais un métier que j'aime. Alors j'ai décidé d'apprendre un métier utile.

C'était peu de temps après mémé. Et ça me hantait qu'elle soit morte, seule, sale et probablement triste. Je m'étais dit que si je me mettais à m'occuper des autres, peut-être que Dieu ne me mettrait pas à l'épreuve comme mémé et que, contrairement à elle, quelqu'un s'occuperait de moi le jour où je serais dépendante.

Je me suis inscrite en formation de « Soins et services à la personne ».

Comme le disait mon père : « La roue tourne. » Et il savait de quoi il parlait : après avoir connu un certain succès avec sa boîte de BTP, il venait de mettre la clef sous la porte.

Après ça, je n'ai connu mon père que chômeur. « Qu'est-ce qu'il fait dans la vie ton père ? – Il est chômeur. » *Comme si c'était un métier*. Le chômage, au début, c'est temporaire, et après, d'un instant à l'autre, ça devient permanent. Ça devient toi. Ça le devient pour toujours. (Si le chômage avait un visage, ce serait sans aucun doute celui de mon père.)

18 ANS

*

« FRATERNITÉ »

J'aurais voulu que mes parents me donnent un frère, ou une sœur. Un autre moi. Quelqu'un qui me ressemblerait un peu, avec qui j'aurais pu partager mes doutes, mes colères, mes paires de chaussettes. Quelqu'un du même sang. Quelqu'un à qui je n'aurais pas besoin de tout expliquer. La fraternité est un privilège.

Je crois que ça explique ma relation avec Carmen.

Carmen a été la sœur que j'ai toujours rêvé d'avoir.

Et j'aurais tout donné pour elle. J'aurais tout donné pour la sauver.

20 ANS

*

« LA VIE CONTINUE »

C'est ce que tout le monde lui disait. En permanence.

Et nous savions bien que c'était inefficace et vain. Nous savions bien que, pour elle, la vie s'était arrêtée déjà. Elle s'était arrêtée tragiquement, le 11 août 2003, à une porte du périphérique nord, dans une ambiance des bas-fonds de l'enfer.

Tous les espoirs de Carmen étaient morts et enterrés, en même temps que la jeune conductrice du scooter, qui par ailleurs avait un prénom (elle s'appelait Judith) et une famille (un fiancé, Marc, et un petit garçon de 3 ans, Enzo).

Qui peut se relever de ça ?

Carmen n'était plus qu'un corps lourd, surchargé de culpabilité, qui se traînait, qui n'était plus *dans la vie*, mais quelque part à côté.

Du sursis, une amende et un retrait temporaire du permis de conduire, ce n'était pas grand-chose en vérité. Mais la culpabilité, ça, c'est pour toujours, l'image du corps de cette femme qui se casse en mille sur le bitume chaud, ça, c'est toutes les nuits. Son fiancé qui essuie ses larmes dans la manche de sa chemise froissée devant la salle d'audience, ça, c'est chaque fois qu'elle oublie un peu que ça revient.

Et tout le reste qui se mélange, la voix du juge, ses mains moites sur le volant, les sirènes des pompiers, tout se confond dans une brume sombre.

Pourquoi se rappelle-t-on toujours mieux ses cauchemars que ses rêves ?

Le sommeil ne vient pas, il ne vient plus.

C'est comme ça que les choses empirent. Ne plus pouvoir dormir. C'est comme ça qu'on devient fou. Et si on ferme les yeux, de toute façon, les images surgissent, alors on essaie de les faire partir, des fois avec les mains, tellement c'est violent (comme si on chassait une nuée de moustiques).

Je m'en suis voulu de ne pas avoir été, moi aussi, plus attentive. Si j'avais regardé à ma droite, au lieu d'essayer de faire fonctionner à tout prix cette clim, j'aurais pu crier « Attention ! » et Carmen n'aurait pas dévié sa trajectoire brusquement. Alors peut-être que Judith aurait vécu encore de belles années. Elle aurait partagé d'autres petits déjeuners avec Marc et aurait lu encore plein de comptines à Enzo le soir.

Sylvia voulait que sa fille prie, qu'elle se tourne vers Dieu, car Dieu pardonne. Et il n'y avait que comme ça qu'elle pourrait continuer de vivre.

C'est Carmen qui ne se pardonnerait plus jamais rien.

Elle a essayé de s'y accrocher comme elle a pu, à notre rengaine : *la vie continue.*

Et pour ce qui est du reste, un médecin lui a gentiment prescrit une ordonnance où se bousculaient somnifères et anxiolytiques. Docilement, Carmen les a ingurgités, tous les jours, à heure fixe, jusqu'à ce qu'ils deviennent d'indispensables compagnons.

***

« ET NON L'INVERSE… ? »

La vie est un drame ponctué de joies.

22 ANS

*

« LA RENCONTRE »

Et si, au fond, maman avait raison ?

Si, en vérité, dans la première rencontre, il y avait déjà toute l'histoire ?

C'était un jour ordinaire.

Je marchais au côté de mon père, dont les jambes étaient toujours aussi longues. La vie l'avait ralenti un peu, il marchait moins vite.

« T'aurais pas soixante balles à me dépanner, s'te plaît ?

– Papa ! Soixante balles ?

– Ouais, j'sais bien que tu gagnes pas des mille et des cents, mais je te les rendrai au début du mois, j'te jure.

– Arrête de jurer. S'te plaît. Jure pas. »

Il jurait beaucoup trop. Et il disait « au début du mois » sans jamais préciser de quel mois il s'agissait. Je ne revoyais jamais la couleur de mon argent, mais je lui devais bien ça. C'était mon père après tout. Et j'essayais de m'enlever de la tête qu'il avait rarement payé la pension alimentaire pendant toutes ces années.

« Tu dis rien à ta mère, hein, tu la connais, elle est casse-couilles.

– Mais bien sûr que j'dirai rien.

– Tu le jures ?

– Non je jure pas !

– Ce sera notre petit secret, d'accord ?

– Arrête papa, c'est dégueu, tu parles comme un pédophile, là. »

Le RSA l'avait rendu plus affectueux. Papa disait encore RMI, l'ancienne version du RSA, et je n'osais pas lui dire que c'était ringard. Il m'embrassait le front tandis que je lui « prêtais » soixante balles. Cette complicité tarifée ne me déplaisait pas totalement.

Nos rapports avaient changé depuis que je travaillais.

La seule chose qui ne bougeait pas chez mon père, c'était Youri. L'autocollant était toujours sur la porte du réfrigérateur et, après m'avoir émue bon nombre d'années, le regard de mon cher Youri Djorkaeff me mettait mal à l'aise désormais. Je tâchais de l'éviter au maximum les rares fois où je me retrouvais dans la cuisine de papa.

« Tu me paies un coup ? »

C'était une inversion inattendue de l'ordre des choses, je culpabilisais de passer moins de temps avec lui, donc je lui cédais tout.

« Tiens, va me chercher une grille de Rapido à la caisse siteuplaît ma fille ! »

On passait une de ces après-midi tiercé/quinté/quinté+.

Il jouait, perdait et buvait quelques coups, accoudé au bar. De profil comme ça, je le trouvais de plus en plus maigre, et ses tempes… elles blanchissaient à vue d'œil.

« Faudrait que je m'hydrate, tu m'en remets une ? Une Leffe ! »

Une Leffe. Je trouve que cette marque de bière a un nom de gifle.

Quand j'entendais mon père commander une Leffe : « Eh ! Vas-y ! Mets-moi une Leffe siteuplaît ! », j'avais toujours l'impression que le barman allait surgir et lui en coller une.

J'avais horreur de le voir boire. Je n'ai jamais été une flèche en mathématiques, mais l'équation n'était pas très compliquée à saisir : CHÔMAGE + SOLITUDE + ENNUI + RAPIDO + « EH METS-MOI UNE LEFFE SITEUPLAÎT » = DANGER !

Et je me rendais compte que je commençais à regarder mon père d'un tout autre œil, un œil plein de pitié. C'était pas joli-joli parce qu'un père, ça ne devrait pas se regarder avec autre chose qu'un œil admiratif.

« Bon, tu passes pas le week-end à la maison alors ?

– Je peux pas, j'ai des choses à faire.

– Ah bon.

– Ouais, désolée papa.

– Ça fait un bail que t'as pas dormi à la maison, hein.

– Je sais oui.

– Bon bah… La prochaine fois alors.

– … Tu portes encore ton polo gris papa ? T'as pas autre chose à mettre ?

– Autre chose ? Pour quoi faire ? »

L'après-midi touchait à sa fin.

Il a demandé : « Tu travailles toujours chez ta petite vieille là ? »

(J'étais l'auxiliaire de vie attitrée de Simone, 82 ans, ancien mannequin, opérée de la hanche en 2002.)

J'ai répondu : « Oui, toujours. »

Alors il a ri avant d'ajouter : « Elle en a de la veine. Bientôt va falloir que je te donne un salaire pour venir me voir aussi ? »

Et puis, c'était assez rare pour être souligné, il a parlé berbère, ce qui, pour moi, donnait à peu près ça : « %$ùù^hh ! WIDzoooul@@##$$^ù = :`RRTGF£££ %%+***ZZVV »

Il a ri encore.

« Je comprends rien papa !

– Je sais. C'est ma faute. J'aurais dû t'apprendre. »

J'ai toujours eu l'impression que cette langue était pour mon père la langue du sentiment.

Celle de la tristesse, de l'indignation, de la nostalgie.

Et peut-être que s'il me l'avait apprise, je détiendrais la clef. Car, comme je l'ai souvent dit, mon père était avare quand il s'agissait d'exprimer ses sentiments.

Alors on s'est séparés là.

Ça me fendait le cœur. Je l'ai étreint comme si je n'étais pas certaine de le revoir, comme si j'abandonnais un petit chiot au bord de l'autoroute. Je ne comprenais même pas pourquoi ça me rendait aussi triste de le laisser rentrer chez lui seul, et surtout pourquoi j'étais incapable de faire autrement. Ça me mettait tellement mal à l'aise.

D'aucuns diront que j'ai hérité du côté dramatique de ma mère, mais en le voyant s'éloigner, chaque fois, j'avais en tête les premiers accords de « Chiquitita ». Et évidemment, ça me faisait pleurer. (Abba, *The Greatest Hits*, s'est définitivement imposé comme la bande originale de ma vie.)

Dans le wagon du train, j'avais le front appuyé contre la vitre et les larmes qui me gouttaient au bout du nez. Je les essuyais avec un mouchoir désespérément mouillé qui se déchiquetait en mille morceaux. J'avais comme une voix dans la tête qui martelait : « Fille indigne, fille indigne. » Et je le revoyais dire :

« %$ùù^hh ! WIDzoooul@@##$$^ù = :`RRTGF£££ %%+***ZZVV. »

(Et si : « %$ùù^hh ! WIDzoooul@@##$$^ù = :`RRTGF£££ %%+***ZZVV », ça ne voulait dire que ça : « Fille indigne, fille indigne » ?)

À ce moment-là, ce gars en face de moi, que je n'avais même pas remarqué, m'a tendu un mouchoir vert. Ceux parfumés à la menthe qui te débouchent les sinus en moins de deux.

Il me l'a donné en disant : « Tiens, prends ça. »

J'ai d'abord essuyé mes larmes, ensuite je me suis mouché (assez fort), et j'ai fait dans cet ordre-là, parce que, évidemment, si j'avais fait l'inverse, il aurait trouvé ça crade. Je l'ai remercié ensuite avant de me rendre compte que je venais de perdre ma lentille de contact. Je ne voyais plus que d'un œil.

« Eh meeeerde, j'y vois plus rien.

– Bah, on dirait que c'est pas ton jour, hein.

– Non, ça va, c'est rien. (Je continuais de chercher ma lentille dans le mouchoir, sur mes genoux, quelque part…)

– T'es belle quand tu pleures, on te l'a déjà dit ?

– … (Je me suis stoppée net.) Heu… Nan… jamais, nan. »

Il n'était pas laid, mais pas beau non plus.

Il avait de la gueule.

Mais, surtout, il avait un de ces regards qui obligent. Et ça m'a frappée immédiatement.

Il avait les yeux d'une forme anodine et d'une couleur banale, mais ça ne comptait pas. Ce qu'il avait de plus, c'était sa façon de regarder, ça, c'était intense. Sa façon de vous regarder rendait l'instant important.

« T'es vraiment belle quand tu pleures. C'est bizarre qu'on te l'ait jamais dit. »

(En vérité, c'était bizarre de me le dire.)

Il ne me quittait pas des yeux. J'étais embarrassée par cette intrusion. Comme s'il avait le pouvoir de lire dans mes pensées.

« Comment tu t'appelles ?

– Zouzou. Tout le monde m'appelle comme ça.

– Zouzou ? (Il a souri.) Zouzou… J'aime bien.

– Et toi ?

– Eddy. À cause d'Eddy Mitchell. Tu connais ?

– Ouais j'connais. Merci pour le mouchoir.

– De rien… (Il a regardé à travers la vitre en souriant.) "Eddy et Zouzou", c'est marrant nan ? Ça fait un peu spectacle de marionnettes… genre "Guignol et Gnafron", j'aimais bien quand j'étais petit…

– Oh naaaan ! Putain ! (Je me suis levée brusquement.)

– Quoi ? Qu'est-ce qu'il y a ?

– J'ai pas pris le bon train, je suis dans le mauvais sens… »

Et si, après tout, maman avait raison ?

Si, en vérité, dans la première rencontre, il y avait déjà toute l'histoire ?

***

« OÙ ES-TU CHARLES INGALLS ? »

Ce n'est pas parce que je ne l'ai pas évoqué jusqu'ici qu'il n'est pas important.

Oh non.

Loin de là.

Charles Ingalls est vraiment très important.

Pour commencer, oubliez un peu le mythe du prince charmant. Il n'a rien de viril et on lui fait beaucoup trop de publicité.

Si je pense à un modèle masculin, que j'ai idéalisé enfant, et que j'ai cherché inconsciemment adulte, définitivement, ce n'est ni le prince charmant, ni Youri Djorkaeff. Ce n'est pas mon père non plus, car j'ai foiré ce bon vieux complexe d'Œdipe (NTM Freud).

J'ai pris pour modèle un homme avec de la terre sous les ongles. Un personnage de fiction, naturellement. Quelqu'un de bien, de foncièrement honnête. Je sais de quoi je parle, j'ai regardé les neuf saisons de la série.

D'abord, Charles Ingalls part de rien, armé de sa seule volonté et de son bon cœur, il quitte tout pour rejoindre le Midwest.

Au sommet d'une colline, partout autour de lui : le bleu du ciel. Armé d'un marteau, de clous et de quelques planches de bois, il bâtit une maison de ses propres mains et y installe sa charmante petite famille.

Charles Ingalls fut un mari exemplaire, qui a aimé et chéri une seule femme, la chanceuse Caroline. Et ne comptez pas sur moi pour entrer dans le débat sur leur manque d'intimité lié au fait que leur chambre n'avait pas de porte.

Il fut aussi un père exemplaire, qui a élevé pas moins de sept enfants dont une fille aveugle et un garçon adoptif, maigre et sale, qu'il a trouvé par terre et emporté chez lui sans aucun embarras administratif.

Et à ma connaissance, son esprit de sacrifice l'a conduit à porter le même pantalon, le même chapeau et la même paire de bretelles tout au long de sa vie. (Un pantalon marron si je me souviens bien.)

Un homme, un vrai.

Qui peut imaginer Caroline remplir le frigo avec l'argent des allocs pendant que Charles fait la grasse matinée ?

22 ANS

*

« ÇA ME FAIT UNE BELLE JAMBE »

Après Simone, on n'a pas fait mieux en termes de femme.

Depuis un an que j'allais chez elle, les lundi, mercredi et vendredi, mon enthousiasme était intact.

Son appartement était comme un musée. Paris 15e arrondissement, un deux-pièces étroit situé dans une résidence de la rue Olivier-de-Serres.

La première fois que j'y ai mis les pieds, j'ai pensé : « Ici, on a enfermé le passé entre quatre murs. » J'avais les clefs. Mais à chaque fois, en me voyant entrer, elle disait : « Ah, c'est toi ?! Tu aurais dû me prévenir, je me serais fait une petite beauté ! » *Tous les lundi, mercredi et vendredi.*

Un brin de ménage, la toilette, une petite promenade, quelques courses, le repas, un peu de lecture ou une partie de cartes avant qu'elle ne se mette à somnoler et que je m'en aille après l'avoir installée pour sa sieste. Je lui essuyais le menton, car elle bavait beaucoup, bien qu'elle ne l'ait jamais admis.

J'avais consigné quelques-unes de ses phrases préférées, pour ne pas les oublier, comme si l'atmosphère de cet appartement m'avait appris qu'il fallait figer les instants, enfermer les mots et les images. Tout ça s'éparpille tellement vite.

Dans le désordre :

– *J'ai 80 balais, mais j'ai pas le cerveau qui flotte dans l'urine, je sais ce que je dis !*

– *T'as pas vu mon dentier ?*

– *On m'a opérée de la hanche en 2002.*

– *Ça ne s'épluche pas une tomate.*

– *J'ai bien fait de pas faire de gosses.*

– *Y a rien d'impoli à se gratter le cul.*

– *Je vais pas tarder à te quitter tu sais.*

Même si je n'ai jamais cru à la véracité des statistiques, je dirais qu'environ 70 % des moments que j'ai partagés avec Simone étaient saisissants. C'est pas donné à tout le monde de vivre ça.

Elle était toujours aussi fière de me montrer ses réclames et photos de mode, qu'elle gardait dans une mallette en métal rouge. Avant, Simone avait été mannequin. Elle était connue pour ses belles et longues jambes, et pendant quelques années, elle a été l'égérie des collants Dim.

Parfois elle soulevait sa robe en jersey : « Bah, tiens, regarde, y a pas tant de varices que ça ! On donnerait à mes jambes trente ans de moins qu'à ma tronche, non ? »

Simone, en vrac, elle parlait de la vie, de la mort (un peu, quand elle avait peur), de l'amour (beaucoup), de la politique, de ses voyages autour du monde, des féministes, de son père, de Baudelaire, de Belmondo et de Jacques Brel.

« Je suis une retraitée de la beauté. »

Belle, elle l'était encore. Elle l'était pour toujours.

Elle avait deviné qu'il y avait quelque chose de différent chez moi depuis quelque temps. Alors qu'on se baladait du côté de la porte de Versailles, elle m'avait demandé d'accélérer la cadence.

« C'est toi qui es censée me promener, Zouzou, pas le contraire !

– Oui, excuse-moi Simone.

– Tu vas me faire rater *Les Feux de l'amour* si on continue à ce train-là… T'as pensé à prendre le pain sec pour les pigeons ?

– Mince, le pain sec, je l'ai oublié.

– Tu l'as oublié ? Eh bah, ma grande, qu'est-ce que ça va être quand t'auras mon âge ! (Elle a tapoté ma main. Elle faisait ça souvent.)

– J'ose même pas imaginer.

– T'es dans les nuages. T'es amoureuse ou quoi ? »

J'ai souri bêtement.

« Avec cet air con que tu viens de prendre, ça m'étonnerait pas ! »

23 ANS

*

« DANCING QUEEN »

Maman suivait avec passion le feuilleton présidentiel.

Car, depuis peu, nous avions un nouveau président, un quinquagénaire bling-bling qui mâchait du chewing-gum et parlait à la France populaire. (Un brouhaha qui mêlait promesses non tenues, fautes de syntaxe et tics nerveux.)

Les médias en avaient fait une icône.

Magazines, émissions spéciales à la télévision ou à la radio, ma mère n'en ratait pas une miette. Elle était devenue « Sarkophage ».

On le voyait tantôt à cheval, tantôt à vélo. Il se faisait photographier à la plage, en voyage officiel, ou en train de faire son jogging. Et ma mère n'était pas la seule à lui vouer un véritable culte. À cette époque, il était entouré en permanence d'une horde de journalistes qui lui ponçaient l'arrière-train.

« Il paraît qu'il lui a envoyé un SMS, il lui a écrit : “Si tu reviens, j'annule tout !” T'imagines ! Il l'aime encore, c'est évident ! »

Entre son divorce, son remariage avec une chanteuse et les affaires dans lesquelles il avait trempé, le nouveau président était au centre de toutes les discussions.

« On peut pas changer de sujet maman ? J'en fais une overdose !

– T'avoueras qu'il a un certain charisme, hein, il est viril... Je dis pas qu'il est beau, mais y a un truc...

– T'es sérieuse ?!

– Nan, mais attends, c'est tout de même autre chose que le père Chirac et son pantalon remonté jusqu'aux tétons... »

J'avais eu bien du mal à lui parler de ma rencontre avec Eddy, de notre histoire d'amour, de ce bouleversement tout nouveau.

Comme je m'y attendais, elle n'était pas ravie.

(Posait quelques questions. Se taisait un peu. Y revenait. Posait d'autres questions.)

« T'es pas enceinte au moins ? »

J'ai répondu par un haussement de sourcils.

« Je demande quand même, on sait jamais.

– Arrête maman !

– Ça va un peu vite je trouve, j'ai quand même le droit de le dire ! »

Se sentait-elle vieille désormais ? Lui avais-je volé la vedette ? Si je devenais une femme, c'est que maman ne serait plus jamais la « Dancing Queen ».

(J'avais prévenu, Abba, c'est la vie.)

Ça bouillonnait à l'intérieur de moi. Il me suffisait de penser à lui et alors je sentais vibrer mes organes, mes viscères, je pouvais fermer les yeux et suivre le parcours du sang dans mes veines. Est-ce que c'était enfin mon tour ?

Est-ce que ça ressemblait à ça, d'aimer quelqu'un ? Comme dans les mélodies d'Abba ? Comme quand Agnetha chante ?

Après tout, peut-être que j'étais belle. Peut-être que je méritais de l'attention.

J'avais envie de le voir tout le temps, de poser mon front sur son torse, de sentir son parfum boisé un peu fort, presque piquant. J'avais hâte qu'il prenne ma main sans que je m'inquiète de sa moiteur, hâte de marcher à côté de lui en essayant de suivre la cadence. J'aimais suivre sa cadence, il marchait toujours vite, il ne se promenait pas. Il avait cette façon bien à lui de poser le pied au sol, si délicatement, comme une ballerine, ses talons ne touchaient jamais tout à fait terre. Il était aérien, ça lui donnait de la grâce.

J'aurais pu le deviner rien qu'à sa démarche, Eddy ne s'ancrait pas, il flottait, il survolait la vie. Il marchait comme un nomade. Quelqu'un qui passe par là, qui ne reste pas pour toujours.

(Quand j'y repense, je crois que je me suis laissé choisir. Comme si ça n'arrivait pas deux fois. Comme si c'était ma seule chance d'être aimée.)

« On va voir un film au ciné avec Eddy ce soir, pas la peine de me faire à manger.

– D'accord. Donc tu vas *encore* le voir ce soir ?

– Bah oui.

– Bon… je vais pas manger non plus alors.

– Comment ça ?

– Tu sais très bien que j'aime pas manger toute seule…

– Abuse pas maman, tu vas pas crever de faim parce que je suis pas là ce soir ?!

– J'aime pas manger seule, j'y peux rien.

– Je déteste quand tu fais ça.

– Quand je fais quoi ?

– Tu le fais exprès.

– Qu'est-ce que je fais exprès ?

– Pour me faire culpabiliser.

– Pas du tout !

– Je sais bien que tu l'aimes pas. J'ai compris le message tu sais.

– J'ai jamais dit ça !

– Tu fais aucun effort pour apprendre à le connaître.

– Quels efforts ?… Il habite dans une caravane et il veut être acteur ! Je t'ai élevée pour t'éviter de faire les mêmes erreurs que moi et tu es en train de faire pire !

– C'est reparti ! Faut toujours que tout tourne autour de toi ! Toi ! Toi ! Toujours toi ! Et moi ? Moi, c'est quand ? Hein !?

– Ça va maintenant ! Tu baisses d'un ton ! Je t'ai élevée seule, je me suis sacrifiée pour toi, pour que tu prennes les bonnes décisions, et maintenant je te regarde faire n'importe quoi ! Tu vas foutre ta vie en l'air !

– C'est pas parce que t'as raté ta vie qu'il faut m'empêcher de vivre la mienne ! »

Il y avait Lui en couverture de *Paris Match*, Lui sur la table basse, Lui le nouveau président, Lui avec son sourire féroce qui disait toute son ambition, une ambition dévorante, celle d'un fiston qui prend la place du père.

Le reflet du soleil dans ses éternelles Ray-Ban fumées, son col roulé noir sous un trois-quarts noir, il regardait à l'horizon.

On ne voit jamais assez loin, on ne voit jamais à quel point l'horizon risque de s'assombrir. On ne devine pas assez bien l'obscurité.

Le magazine titrait : « LE MARIAGE ».

J'ai claqué la porte si violemment que les murs de l'immeuble en ont vibré.

D'où me sortait cette colère ?

Après tout, elle pouvait penser d'Eddy ce qu'elle voulait.

Elle n'avait pas écouté mémé non plus, et l'avait abandonnée. Je ne voyais pas pourquoi je devrais prendre son avis en compte.

Elle aussi n'en avait fait qu'à sa tête lorsqu'elle avait épousé mon père et, pendant quinze ans, elle avait essayé de le changer en homme parfait – résultat des courses, elle se retrouvait seule.

Toute seule face à son égoïsme, à son idéal jamais atteint, à ses attentes jamais comblées, toute seule face au sourire féroce du nouveau président.

Tant pis, maman ne dînera pas ce soir.

23 ANS

*

« LA LÉGÈRETÉ »

Carmen ne s'était même pas donné la peine de se lever de son fauteuil. La porte du studio était entrouverte. Elle ne s'était pas donné la peine de boutonner son jean non plus.

Ses vêtements étaient si serrés que sa chair, de toutes parts, débordait.

Un sous-pull en nylon soutenait tant bien que mal sa lourde poitrine. Elle ne portait pas de soutien-gorge.

Le désordre, la télévision allumée sans le son, l'odeur de shit, les plaquettes de médicaments tout près du cendrier plein à ras bord, les rideaux fermés, tout était strictement identique à la dernière fois que j'étais venue.

« Qu'est-ce qu'y a ? Tu veux ma photo ?

– J'ai rien dit encore.

– OK, j'ai pas rangé. J'ai le droit de souffler un peu quand je bosse pas, nan ?

– T'as le droit.

– Assieds-toi alors et arrête de me regarder comme ça avec tes gros yeux. Tu veux boire un truc ?

– Non merci, j'ai pas soif… Ça va toi ?

– Ouais, ça va. Je suis fatiguée, c'est tout.

– T'as mangé ?

– Que des conneries. Je viens d'éclater un paquet de chips au paprika. Je les ai trempées dans du Nutella et bizarrement c'était pas dégueu, tu devrais essayer un de ces quatre.

– Ouais… Je suis pas sûre.

– Bon, tu veux voir ? Je l'ai fait. »

Elle l'avait fait.

Malgré les heures et les heures que j'avais passées à tenter de l'en dissuader. Elle l'avait fait.

Carmen avait fait tatouer sur son poignet : « 11.8.03 ».

La date de l'accident.

C'était si macabre.

« Comme si t'avais besoin de ça pour y penser. »

Elle a soufflé la fumée de son joint.

« C'est ma nouvelle date de naissance. La date de naissance de la nouvelle Carmen. »

L'ancienne Carmen me manque.

J'ai ouvert les rideaux et aéré la pièce, on avait toutes les deux besoin d'air.

Je n'arrivais même plus à la regarder.

Je ne supportais plus. Ça me mettait en colère.

Je pensais qu'être en vie, c'était un cadeau, et chaque fois que j'entrais dans ce studio, tout me disait le contraire. Comme si c'était écrit partout, dans l'air, sur les murs, dans les yeux de Carmen, dans ses veines, sur son pantalon troué aux genoux par les boulettes de son mauvais shit marocain, partout, il était écrit : *vivre n'est pas un cadeau mais un châtiment*.

Le fardeau devenait beaucoup trop lourd.

Et quelque part dehors, il y avait quelque chose de plus léger à vivre. Quelque chose de plus léger que ma mère qui suffoquait, de plus léger que la dépression qui guettait mon paternel, de plus léger que Carmen qui était entourée de culpabilité et de douleur, jusque dans sa peau.

Je laissais tout tomber. Eddy était mon prétexte pour une autre vie.

Carmen n'était pas très enthousiaste à son sujet non plus.

Elle l'avait croisé le jour de mon anniversaire alors qu'on sortait à peine de chez Sylvia, la mère de Carmen, qui, comme souvent, nous avait proposé de rester dîner.

Et, comme souvent, nous avions trouvé une excuse pour décliner l'invitation. Prendre un café suffisait largement. C'était déjà assez angoissant de rester là, assises sur des chaises en formica rouge, à parler de la pluie et du beau temps tandis qu'Apolo regarde la téloche sans même prendre la peine de baisser le volume.

(Oui, le père de Carmen s'appelle Apolo, une ironie eu égard à son physique de porc, mais, comme le dit la gentille Sylvia, on ne se moque pas de la création de Dieu.)

D'ailleurs, elle ne lui demandait pas non plus de baisser le son qu'il réglait toujours de manière excessive. Au lieu de ça, on se concentrait pour bavarder, même si, en présence d'Apolo, la discussion n'allait pas plus loin que : « Ya plus de saisons, hein, on sait plus comment s'habiller… »

Chez Sylvia, le nombre anormalement élevé de montres, d'horloges et de calendriers accrochés partout rendait le temps plus pesant que n'importe où ailleurs dans le monde.

C'était devenu trop pénible d'assister aux humiliations qu'Apolo infligeait à la douce Sylvia. Ça durait depuis tellement longtemps que ça ne ressemblait plus qu'à une pièce de théâtre classique qu'on connaît par cœur, revisitée par un mauvais metteur en scène avec de mauvais comédiens qui joueraient dans la laideur d'un décor tout en formica.

Carmen, surtout, ne supportait plus de la voir se taire devant la méchanceté d'un mari qui la rabaissait constamment, et publiquement, de préférence.

Apolo, lorsqu'il s'adressait à Sylvia, pour lui demander la moindre chose, à manger ou à boire en général, commençait toujours sa phrase par : « Tiens, puisque tu fous rien, apporte-moi *une bière/les restes de poulet/mes chaussettes/mon télé-phone...* » J'imagine que toute leur vie maritale n'aura été conduite que par cette phrase brutale. Jusque dans sa couche, Sylvia a dû entendre : *Tiens, puisque tu fous rien...*

Sylvia a toujours admiré le courage que ma mère a eu de quitter mon père. Elle a toujours trouvé qu'il fallait plus de cran pour accepter d'être malheureuse ET seule, plutôt que malheureuse tout court. Elle vivait les aventures de maman par procuration.

Carmen quant à elle préférait ignorer Apolo, elle le trouvait bête, raciste et sale. C'était de bonne guerre, il ignorait aussi sa fille et ce depuis longtemps, il avait toujours considéré Carmen comme un caprice de sa femme. Il lui avait dit : « Si tu veux le garder, c'est toi qui t'en occupes... » Comme on le dirait à un gosse qui trouve un chaton abandonné.

Apolo n'avait pas envie d'un enfant. Il préférait s'occuper des poubelles, des locataires et de ses paris sportifs.

Ce qu'avait Sylvia pour elle, et qu'autant d'années à être diminuée par son mari ne lui avaient pas enlevé, c'était son sourire. Il faisait tout son charme. Il faisait oublier tout le reste. Il suffisait qu'elle se mette à sourire et elle redevenait resplendissante et libre.

Eddy était venu me chercher au pied de l'immeuble des parents de Carmen, sous la pancarte *GARDIEN*, qui, chaque fois que je la lisais, m'évoquait Apolo en Cerbère, gardien des enfers dans la mythologie grecque.

« C'est *ça*, ton mec ?

– C'est *lui*, mon mec, ouais. »

Il était beau, sur le scooter de son frère, un Piaggio X9 flambant neuf. Après qu'il a ôté son casque, Carmen l'a salué froidement. Je pensais qu'elle était simplement vexée que je décide, pour la première fois, de ne pas fêter mon anniversaire *avec elle*. (J'avais envie de fêter ça *avec lui*.)

De ce court moment, elle a collecté un nombre incalculable de détails sans importance dont elle s'est servie pour tirer des conclusions négatives quelques jours plus tard.

Il se ronge les ongles = *il est impulsif et probablement violent.*

Il a le regard fuyant = *c'est un menteur.*

Sa poignée de main n'est pas assez franche = *il est lâche*.

Pour une fois que j'étais celle qu'on regarde. Il fallait qu'elle gâche mon moment. Elle avait l'amertume de l'étoile qui ne brille plus.

J'ai commencé à en parler avec Eddy.

Je me suis mise à lui confier ce que Carmen pensait de lui, puis ce que ma mère pensait de lui, toute la méfiance qu'il leur inspirait.

Chaque fois, il écoutait attentivement.

Ensuite, il souriait et disait : « Tu sais, ma chérie, Dieu en personne ne fait pas l'unanimité. »

(Sous ses apparences modestes, c'est la phrase la plus narcissique qu'il m'ait été donné d'entendre, je m'en rends compte aujourd'hui.)

Souvent, il jouait à m'ouvrir les yeux : « Je sais que c'est pas facile à admettre parce que c'est *ta mère/meilleure amie*, mais elle est sûrement jalouse. Tu n'es plus à elle toute seule, tu lui échappes. Ce n'est plus la star et, physiquement, c'est plus ce que c'était… » (C'était valable pour les deux.)

J'avais l'impression que son analyse tombait juste. Clairement, c'était de la jalousie. Elles enviaient mon bonheur, l'une comme l'autre. Enfin, les choses me paraissaient évidentes. Toutes les deux, sous prétexte de m'aimer, ne cherchaient qu'à me garder engluée auprès d'elles, elles ne m'aimaient que lorsque j'étais témoin de leur malheur.

Je ne voulais plus être témoin du malheur des autres, mais actrice de mon propre bonheur. Il y en a un autre qui rêvait d'être acteur : Eddy, et c'était évident, il était fait pour ça.

24 ANS

*

« L'ODEUR DE LA PEAU »

Comment ça a commencé ?

Comme un accident.

Je n'ai rien vu venir.

Dès notre premier contact physique, j'ai su que c'était foutu. C'était trop fort, trop intense. Il avait passé sa main dans mes cheveux pour m'enlever une poussière, ou une brindille, ou autre chose, ou que dalle, après tout, peut-être qu'il avait juste fait semblant, comme ça, pour travestir son besoin de me toucher en service rendu.

L'air de rien, il m'a tenu la taille pendant qu'on marchait, et ses doigts avaient glissé sur le satin de mon chemisier, ça m'avait fait un effet insensé.

Il y avait du brouillard, c'était la nuit, et la lumière jaune d'un lampadaire qui crépitait le rendait beau, elle mettait en valeur ses yeux bruns dans lesquels j'avais lu une envie de m'embrasser.

Ce baiser gourmand dans la brume était un serment, la promesse qu'on s'embrasserait encore, des milliers de fois. Il fallait qu'on s'embrasse pour toujours. Il n'y avait que mourir qui pouvait empêcher qu'on goûte à un baiser pareil.

On s'était mis à respirer vite, bruyamment.

Eddy a fait alors quelque chose de primitif et de déconcertant, il a plongé dans mon cou pour le respirer. Il prenait de longues inspirations. On aurait dit qu'il voulait m'inhaler tout entière, comme un vampire qui n'aurait pas eu besoin de mordre.

« Je veux sentir l'odeur de ta peau. »

Comme s'il fallait la mémoriser, comme si son instinct exigeait qu'il la capture pour toujours. (Si d'aventure je me perdais, il pourrait toujours me retrouver.)

Avant Eddy, jamais je n'avais réussi à m'abandonner à quelqu'un sans réfléchir, sans réserve, sans retenue.

J'avais bien eu des flirts, des amourettes, mais elles étaient légères, sans conséquences. Avant lui, c'était sans danger.

L'instant d'après, tout le reste ne comptait plus autant. Le trouble et les sentiments qui nous assaillaient avaient réduit l'importance des choses.

L'inconfort du couchage de la caravane, c'était pas si grave, la température qui avait baissé à l'approche de l'aube, pas grave non plus, ma mère qui devait être folle d'inquiétude, qui avait sans doute appelé tous les hôpitaux et commissariats des environs, c'était pas grave du tout.

Non, ce qui était grave, c'était comment on allait réussir à se séparer, à se détacher, à ne plus se toucher, à mettre nos peaux à l'écart l'une de l'autre. Comment pourrait-on, après ce moment ensemble, envisager autre chose que de s'aimer chaque minute ?

Il m'avait dit : « Viens, on vit ensemble. »

Comme ça, on pourrait faire durer ce baiser. Comme ça, on pourrait se respirer le matin et le soir. Comme ça, le problème serait résolu. On n'aurait pas à se quitter.

24 ANS

*

« LA CHUTE »

« Il est con celui-ci ou il le fait exprès ? Il me demande comment je suis tombée ! Je suis tombée, c'est tout ! Qu'est-ce que ça peut vous faire de savoir comment ! C'est une chute bordel ! Une chute, c'est pas quelque chose qu'on organise ! Ça s'explique pas, merde ! On tombe ! Voilà ! La gravité, ça te dit quelque chose ? Il me semble que t'es allé à l'école non ? Si tu portes une blouse et un badge avec ton nom dessus et qu'on t'a gratifié du titre de docteur de mon cul, c'est bien que t'es allé à l'école un certain temps ! Et alors ?! C'est pas moi qui vais t'apprendre qu'on est soumis à la loi de la gravité ! Bordel à queues ! JE SUIS TOMBÉE ! »

Je n'avais jamais vu Simone aussi remontée.

Le médecin de l'hôpital Cochin lui avait simplement demandé : « Comment êtes-vous tombée ? » Ni plus, ni moins.

Ce qu'il y a de bien à partir d'un certain âge, c'est qu'on peut humilier et insulter un médecin sans que personne n'émette aucune objection.

Car à partir d'un certain âge, on a la meilleure excuse aux yeux de n'importe qui, la meilleure raison d'être en rogne, et cette raison est toute simple : la mort, qui se rapproche inévitablement. Tout le monde comprend qu'à la fin d'un long et pénible voyage, on a le droit d'être fatigué, en colère, et de cracher son exaspération à la face du monde.

En 2002, Simone avait déjà subi cette délicate opération de la hanche et, à 83 ans, se remettre d'une nouvelle fracture, du coccyx qui plus est, ce n'était pas une mince affaire.

« Ça fait un mal de chien ! Il ne me donne rien pour la douleur ce con ?! »

Je passais mes journées avec elle dans sa chambre option *solo*. Non seulement, elle ne tolérait pas de voisin, mais, surtout, elle n'avait confiance en aucun membre du personnel hospitalier.

« Elles sont laides et aigries, je suis sûre qu'elles récupèrent les gobelets de pisse des analyses d'urine pour les mélanger à la soupe ! Elles sont tordues, ça se voit, je te dis ! Et puis, elles me parlent comme si j'avais 3 ans ! Je supporte pas ça ! »

Je l'écoutais se plaindre de la température dans la chambre, de la douleur, de la nourriture qu'elle n'arrivait même pas à mastiquer malgré la qualité et le prix de ses prothèses dentaires – mais c'était toujours mieux que le reste.

C'était toujours mieux que les supplications de ma mère pour qu'on aille faire du shopping ensemble *comme avant*, ou que les SMS de mon père débordant de fautes d'orthographe, pour me demander de lui prêter (encore) « une petite somme, pas grand-chose ». C'était toujours mieux que Carmen qui énumérait pendant des heures au téléphone combien elle avait bu de verres d'alcool fort et dans combien de bras elle s'était abandonnée, qui se racontait des mensonges, pensant croquer la vie à pleines dents, alors que c'est la vie qui était en train de la croquer, de la bouffer toute crue. Elle avait le toupet de me donner des conseils. Je la trouvais jalouse et directive. Je n'aimais plus qu'elle me dicte ce que je devais faire ou non. Elle me disait que c'était pour mon bien et je ne la croyais plus. Eddy avait raison : « Comment quelqu'un qui se fait autant de mal peut savoir ce qui ferait mon bien ? »

Lui seul savait, désormais, ce qui ferait mon bien.

Simone avait raison, une chute, ça ne s'explique pas. Quand on tombe, on tombe.

24 ANS

*

« LE SUCCÈS »

Il a toujours détesté que je dise qu'il *faisait l'acteur*.

« Dis pas *faire l'acteur* putain. Je fais pas l'acteur ! Je SUIS acteur ! On voit bien que t'y comprends rien. »

Il avait raison. Je n'y comprenais rien.

Depuis notre rencontre, Eddy courait les castings, mais chaque fois qu'une opportunité intéressante se présentait, les rôles lui passaient sous le nez. Toujours à un cheveu.

C'était systématiquement le même manège : d'abord il tapait dans l'œil du directeur de casting, qui lui proposait de repasser des essais. Ensuite, il rencontrait un réalisateur conquis, qui lui promettait que c'était gagné. Restait à convaincre le producteur, qui lui aussi finissait par tomber sous le charme.

Il frôlait son rêve, il y était presque. Tout ça le rendait euphorique et lui faisait dire des mots d'amour, de ceux qu'on lit dans les poèmes.

Il décollait complètement. Pendant quelques jours, des litres et des litres de bons sentiments coulaient le long de lui.

Cet élan enthousiaste s'arrêtait progressivement. (Comme pour un athlète qui comprend qu'il vient de faire un faux départ.)

Après ça, il y avait l'attente. Les jours et les semaines d'attente. Les nuits qu'il passait à tout imaginer, surtout l'échec.

Ces périodes donnaient de lui *l'aperçu d'un autre.*

Il devenait irritable, anxieux, susceptible. Il attendait comme si c'était urgent, comme si sa vie en dépendait. Il haussait le ton, pour des riens du tout, pour un détail, pour une fenêtre entrouverte ou une porte qui claque. Avant, ça n'arrivait jamais. Il ne criait pas sur moi.

« Je *fais pas l'acteur* ! Je SUIS acteur ! On voit bien que t'y comprends rien ! »

Souvent, les projets n'étaient pas financés, ils étaient abandonnés et tout s'écroulait brutalement.

(Il lui est arrivé de pleurer de rage, enfermé dans la salle de bains. Ce jour-là, il avait frappé dans les murs jusqu'au sang, puis m'avait demandé de le soigner.)

Parfois, un autre lui était préféré, un plus comme ça ou un moins comme ci, parfois ça ne tenait pas à grand-chose. Il ne supportait pas d'être évincé, ça le brûlait à l'intérieur, ça ne voulait pas s'éteindre.

Alors il acceptait des petits rôles dans des pièces de théâtre amateur ou des publicités, il faisait de la figuration dans des séries télévisées et tenait des rôles secondaires dans des courts-métrages.

« C'est toi, le mec de la pub du beurre demi-sel ?

– Ouais, c'est moi, ouais. Bien vu.

– Des barres de rire quand tu casses la biscotte. »

Il bombait le torse sur quelques mètres, fort de cette gloire éphémère. C'est comme ça qu'il se réconfortait. En attendant, je m'occupais du loyer, des courses, et de le dépanner pour ses cigarettes. (Il fumait beaucoup, des cigarettes américaines au nom imprononçable.)

Eddy s'était juré de ne plus être un *p'tit gitan*, mais de devenir un grand acteur. Il avait des millions de revanches à prendre, des frustrations, des complexes, des tas de guerres à déclarer. Et tout ça n'avait probablement rien à voir avec moi.

Il y a des hommes qui aiment séduire et conquérir les femmes, pour mieux les punir. Peut-être est-ce une façon de se venger d'une mère un peu légère ? De réparer des blessures d'enfance ? D'évacuer la rage d'avoir été traité de fils de pute ? (Et si ce sujet est tabou, il se peut que, à une époque, ça ait été le cas ?)

Tout le temps qu'on s'est aimés, j'ai pris le chaud et le froid. Successivement. Comme une forme très élaborée de torture. Il était tantôt encourageant et affectueux, tantôt glacial et agressif.

Eddy pouvait devenir en un clin d'œil un être cruel.

On aurait dit un personnage de mafieux russe du cinéma hollywoodien, capable d'abattre froidement sa victime d'une balle dans la tête tout en finissant de mastiquer une souris.

Cette dualité me plongeait dans une telle confusion que je ne savais plus lequel était le vrai Eddy. Celui duquel j'étais tombée amoureuse. Celui du début.

Un jour, j'ai acheté une robe bleu marine, cintrée, elle arrivait tout juste au-dessus des genoux. C'était l'été. Je me plaisais bien dans la cabine d'essayage, c'était peut-être le miroir de la boutique, peut-être l'éclairage, mais je m'étais plu comme jamais auparavant. Je l'avais payée pas grand-chose, elle était soldée. Et j'avais hâte de la porter pour qu'Eddy me voie dedans, j'avais imaginé qu'elle me rendrait plus belle à ses yeux, qu'il m'inonderait de compliments, qu'il m'embrasserait dans le cou et qu'il me dirait quelle chance il avait de m'avoir, comme avant, comme au début.

Nous n'avions pas emménagé ensemble dans l'appartement.

En ce temps-là, il avait encore la caravane.

Je m'étais habillée dans l'étroitesse du passage.

À son retour, le visage fermé, l'œil flou, un peu jaune, il m'avait scrutée avant de dire : « J'espère que tu peux te faire rembourser ? T'as pas le corps pour porter ce genre de robe. »

Depuis quelques mois déjà, il fermait les yeux dans l'intimité, il détournait le regard, alors je m'étais persuadée que j'étais trop laide à regarder. C'était douloureux, mais je me disais : « Il doit penser à une autre. Une plus belle, plus libre, plus grande, plus mince, une blonde, une métisse ou une rouquine. Une qui n'est pas moi. »

Dans ces moments-là, j'aurais aimé être n'importe qui d'autre.

Je me suis détestée.

Souvent, je trouvais des excuses à son comportement. C'était forcément *ma faute*.

Et puis, il redevenait attentif quelques heures. Il suffisait qu'il me fasse rire, ou qu'il me prépare un café, qu'il me dise simplement : « Qu'est-ce que je ferais sans toi ? » pour que je m'apaise, que je croie à un possible changement. J'ai cru, et férocement, qu'il allait changer.

Je déployais une énergie folle à me faire croire ça. Autant qu'à faire croire aux autres que j'étais heureuse.

À la suite d'une énième dispute, une nuit, il m'a chuchoté, sur le ton de la confidence : « Tu

peux t'estimer heureuse que je te trompe pas. »
J'ai répondu : « Merci. »

On ne sait pas *comment on en arrive là*.

25 ANS

*

« VIRUS »

Dans le temps, c'était un rituel.

Chaque fois que maman avait une prime à la bijouterie, elle m'emmenait déjeuner à la Taverne d'Ali Baba. Cet endroit n'existe plus, mais c'est comme s'il avait été pensé pour elle. C'était un restaurant mi-ch'ti, mi-kabyle (oui, il faut un temps pour se l'imaginer), réunissant toutes les influences de sa vie. On pouvait y manger des poivrons frits et boire des mousses artisanales brassées dans le Nord. Mon père l'y avait emmenée pour leur premier rendez-vous, même si elle l'a toujours nié (elle prétend que c'est elle qui a découvert ce restaurant, par hasard).

Maman, on ne découvre pas un endroit de ce genre *par hasard.*

J'avais commandé une omelette-frites et elle, une salade aux anchois avec du pain kabyle, *aghrom*, et de l'excellente huile d'olive en accompagnement.

J'avais l'impression, en revenant ici, qu'il restait à maman un peu de papa.

Elle avait beau avoir maigri, changé de coiffure, et s'essayer aux rencontres sur Internet, il faisait partie d'elle. Encore, et pour toujours. On ne peut jamais rien effacer. Peut-être qu'il vaut mieux l'admettre.

« Tu t'es fait vacciner ?

– Non.

– Et pourquoi pas ?

– Parce que je me ferai pas vacciner maman, je te l'ai déjà dit. Je suis contre, c'est des conneries.

– C'est lui qui t'a mis ça dans la tête, je parie.

– Ça va pas recommencer !

– C'est quoi le problème ? C'est dans sa culture, c'est ça ? Ils sont anti-vaccins chez les gitans ? C'est comme les amish ou les témoins de Jehovah ? C'est interdit chez eux ?

– Personne ne m'a rien mis dans la tête ! Je suis assez grande pour réfléchir toute seule.

– Tu t'es regardée ? Je m'inquiète. On se voit pas pendant des semaines et là t'es tout éteinte, t'as des cernes noirs, on dirait un panda ! Tu as du souci ? Qu'est-ce qui t'arrive ? Je te préviens, si j'apprends qu'il te fait du mal, je l'étrangle de mes propres mains !

– Arrête ça s'il te plaît.

– J'ai pas confiance, ce sont des gens du voyage, on ne sait pas de quoi ils sont capables.

Ils pourraient très bien te couper un bras et t'envoyer au feu rouge du rond-point de la porte d'Italie faire la manche avec ton moignon.

– C'est hyper-raciste ce que tu dis là ! Bon, maman, j'étais d'accord pour qu'on déjeune ensemble parce que tu m'avais promis qu'on s'engueulerait pas.

– Alors va te faire vacciner ! Tout le monde se fait vacciner, tu vois bien ! Tu regardes pas les infos ?

– T'as entendu parler des lobbies de l'industrie pharmaceutique ? C'est une histoire d'oseille tout ça, ils s'en fichent de la santé publique ! Je me ferai pas avoir. Les gens se précipitent sur leurs piquouses de merde comme des moutons, on leur injecterait du pipi que ça les dérangerait pas.

– Et le virus achahénin ? Tu t'es renseignée un peu ?

– D'abord, c'est H1N1 ! Et c'est pas parce qu'ils mettent des lettres et des chiffres que ça change quelque chose. On s'en fout. Quand j'aurai la grippe, je me ferai une bonne tisane de thym, je mangerai quelques oranges et ça finira par passer.

– Comme tu voudras. Je dis plus rien. Moi, en tout cas, je l'ai fait le vaccin.

– Félicitations, c'est Roselyne Bachelot qui peut être fière.

– Arrête tes sarcasmes ou tu vas finir comme moi… »

Maman avait beaucoup changé, elle avait passé un cap. Après s'être relevée de pas mal de déceptions, elle avait compris qu'on ne pouvait pas compter sur l'amour pour être heureux.

J'ai su qu'elle avait eu une histoire avec un gendarme un peu beauf, qui avait de longs poils gris sur les avant-bras et une coupe en brosse.

Ma mère, qui découvrait Facebook, avait commencé par *liker* toutes ses photos, ensuite, elle avait changé son statut, de *célibataire*, elle était passée à *en couple*, puis à *c'est compliqué*, avant de finalement retourner à son statut de *célibataire*.

(Mes tantes ont été les deux seules personnes à avoir posté en guise de commentaire un smiley triste.)

Oui, maman avait enfin compris qu'il était temps de se recentrer sur elle-même, après mon départ de la maison, elle s'était juré que son bonheur ne dépendrait plus jamais d'autrui.

Elle était devenue ce genre de femmes qui se mettent des foulards colorés autour du cou et lisent des livres de développement personnel. Elle était désormais de celles qui s'abonnent à un théâtre public et vont à la piscine le dimanche matin, juste après les bébés nageurs (c'est le moment où la température de l'eau est idéale).

Mes deux tantes avaient passé des heures à la consoler.

Je ne m'étais pas rendu compte. Je n'avais pas soupçonné. *Je ne savais pas à quel point ça pouvait heurter de se faire arracher son enfant.*

J'avais quitté la maison du jour au lendemain. Je n'avais même pas tout emporté.

À l'époque, ma tante Virginie m'avait fait un peu la morale au téléphone ; elle me demandait pourquoi j'étais partie « comme ça », elle disait que c'était trop brutal pour maman, elle n'arrêtait pas de répéter : « Elle n'a que toi. Elle a tout fait pour toi. *Tu es toute sa vie.* »

Et moi, ma vie à moi ? C'était quoi ma vie ? Je n'avais rien demandé. C'était trop pesant. J'avais déjà supporté trop de ses soucis d'adulte. Ses larmes avaient mouillé mon enfance jusqu'à m'inonder totalement la cervelle.

Je me dis qu'elle a probablement eu raison de détester Eddy.

Ça ne pouvait pas être autrement.

Il lui avait pris son bébé et, tant bien que mal, elle essayait de faire comme si elle s'en remettait.

« Ah ça y est ! J'ai compris ! T'es déjà contaminée !

– Comment ça ?

– Bah oui ! C'est ton mec le virus ! C'est lui le H1N1 ! Il t'a déjà contaminée, c'est trop tard ! Ha, ha !

– Pfff. Ça fait rire que toi.

– Oh, ça va ! Détends-toi ! T'as pas de second degré ou quoi ? On dirait ton père ! »

25 ANS

*

« LA NOSTALGIE »

Simone m'a souvent répété : « J'aime pas les fêtes ! J'ai jamais aimé ça ! »

Je trouvais ça bizarre. Tout le monde aime les fêtes.

« J'aime pas les fêtes parce qu'à peine ça commence, je pense déjà au moment où va falloir s'arrêter de danser… »

Si on considère que la vie est une fête, c'est la meilleure définition de la nostalgie qu'il m'ait été donné d'entendre.

25 ANS

*

« PLEURER SIMONE »

C'est fou ce que l'esprit fait au cœur. Il le torture. Je crois qu'il se venge de n'avoir jamais eu le dessus.

J'ai beaucoup pleuré Simone. J'en étais malade. Inconsolable. Ce genre de chagrin dont on croit qu'il ne cessera jamais, qu'il ne baissera même pas en intensité. Pourquoi était-ce si difficile à admettre qu'une vieille femme à la santé fragile finisse par s'éteindre un jour ?

Sa disparition a fait remonter à la surface les résidus d'un océan intérieur tourmenté. Comme ces bords de plage qu'on voit à la télévision, vomissant les déchets que la mer a accumulés trop longtemps sans rien dire, des tonnes de pourritures qu'on lui a fait avaler sans considération, dont elle est gavée et qui finissent par ressurgir sous le regard impassible d'une foule de vacanciers à qui ça ne fait même pas honte.

J'ai pleuré Simone. Mais pas seulement.

J'ai aussi pleuré mémé. Enfin. Après tout ce temps.

Les chagrins à retardement sont les pires.

Après, j'ai pleuré sur ma solitude.

J'ai pleuré ma mère dont je n'étais plus aussi proche, j'ai pleuré les beaux jours, ceux où je pouvais, du haut de mes ridicules tristesses d'enfant, tout lui raconter, puis m'effondrer sur ses cuisses tandis qu'elle me caressait le dos.

J'ai pleuré Carmen, la Carmen de mon adolescence, celle qui faisait office de bouclier face à la vie. Déjà, j'avais remarqué qu'elle approchait dangereusement. La vie arrivait comme la tornade au début du *Magicien d'Oz*, celle-là même qui, brusquement, troubla la tranquillité d'une ferme du Kansas, emportant avec elle la candeur de la jeune Dorothy.

La vie n'est rien d'autre qu'une tornade menaçant de tout emporter.

Avant, quand Carmen était à côté de moi, je n'avais pas peur.

Simone n'avait pas d'enfant. Des amitiés aussi vagues que le souvenir qu'elle en gardait, et des amants déjà six pieds sous terre. Il ne lui restait que moi. Moi, ses livres, ses disques et ses photos.

Je ne m'étais pas rendu compte de ce que je représentais pour elle.

Simone avait tout prévu, même le règlement des frais de succession. N'ayant aucun héritier, elle avait fait établir par le notaire un testament, et j'étais la seule à y figurer.

J'avais d'abord eu envie de refuser. Je ne méritais pas un tel cadeau d'adieu. Je ne méritais rien de bien. Je m'en étais persuadée avec acharnement.

Elle m'avait laissé l'appartement rue Olivier-de-Serres, ses objets personnels, et une épargne de 177 000 euros.

En y repensant encore aujourd'hui, je me pince la peau (la partie fine qu'on a dans l'intérieur du poignet).

Je ne savais pas avec qui partager la nouvelle en premier.

Et puis, le regard distant d'Eddy m'a incitée, je dois l'admettre, à le lui dire d'abord. Il fallait l'intéresser à nouveau. Je me faisais, sans le savoir, un terrible aveu.

Il avait réussi à réduire mon estime de moi à zéro.

Il n'avait pas jugé important de m'accompagner aux funérailles, ni de me consoler ensuite.

« Pourquoi tu veux que j'aille regarder une vieille se faire cramer ? »

Ça l'avait plutôt agacé de me voir pleurer pendant des jours : « Putain, mais elle est pas de ta famille ! T'exagères ! J'en ai marre de te voir tirer une tronche de dix kilomètres chaque fois que je rentre ! Moi aussi j'étais triste quand on a perdu Michael Jackson l'année dernière, mais j'ai fait mon deuil et j'ai fait chier personne ! Bon, allez, ça me saoule, je vais faire un tour ! »

Mais, alors même que j'essayais de lui expliquer à quel point le geste d'adieu de Simone me touchait au plus profond de mon âme, il m'a interrompue pour crier : « Putain, on est riches ! »

Il m'a même pris dans ses bras et porté en triomphe.

« Je t'aime ma chérie ! T'es la meilleure ! Avec ça, on n'aura plus jamais de problèmes ! »

Oui, un terrible aveu. Et un déni tout aussi terrible : « Alors il m'aime encore un peu ? »

18 ANS

*

« LE FEU »

C'était ma première fois.

Une première fois, on ne l'oublie pas.

Dans mon entourage, j'étais la seule à ne l'avoir jamais fait.

Ma mère m'avait tout expliqué, patiemment. Cette étape comptait beaucoup pour elle aussi. Je voyais bien qu'elle était émue à l'idée que j'allais vivre ça.

« J'arrive pas à y croire ! Mon bébé, tu es devenue une femme ! »

Maman appréciait Lionel, elle le connaissait depuis longtemps et avait confiance en lui. Elle était rassurée par son air de garçon sérieux. C'était un bosseur, un intellectuel à lunettes qui avait toujours une pile de dossiers sous le bras. On voyait bien qu'il en connaissait un rayon.

Je lui avais demandé de m'accompagner pour le grand jour.

Elle m'attendrait dehors, pas très loin. J'avais le trac. Mes mains moites trahissaient mon anxiété. Je les essuyais sur mon jean, il fallait absolument que j'aie l'air décontractée et naturelle, mais je me posais mille questions. Lionel était-il vraiment le bon ?

J'étais jeune et, à cause de mon manque d'expérience, j'ai douté jusqu'à la toute dernière seconde. Les rideaux étaient tirés, et je pouvais sentir mon rythme cardiaque s'emballer. Pour beaucoup, ce n'était pas grand-chose, juste un détail, mais pour moi non, je savais que ce serait un moment capital.

Quand ce fut terminé, je me suis sentie légère, soulagée. Déjà ? C'était court. Pas si compliqué. Moi qui m'en faisais toute une montagne.

Maman se tenait debout à l'extérieur, elle avait les mains jointes, et j'avais remarqué que, comme pour toutes les grandes occasions, elle s'était verni les ongles. Elle me regardait, l'air de demander : « Alors ? C'était comment ? » J'ai seulement haussé les épaules. Après tout, c'est personnel, c'est quelque chose qu'on n'est pas tenu de partager.

« A VOTÉ ! »

On n'était pas spécialement militants dans la famille, mais l'élection présidentielle, ça, c'était un événement. Mes tantes m'avaient téléphoné pour me féliciter de ma première fois aux urnes. J'avais à peine la majorité et, en ce temps, c'était une manière d'entrer dans l'âge adulte, ça comptait vraiment.

(Voter, c'était encore *choisir* un candidat.)

Pour son dernier discours, Lionel avait ce regard terrible. Il y avait de la peine dedans, de la frustration et aussi beaucoup de colère.

Je croyais qu'il était fâché contre nous.

Mais il était probablement fâché contre lui-même. Contre les autres aussi. Tous ceux qui, quelques semaines plus tôt, tout comme lui, souriaient sur les affiches.

« Si comme on peut le penser, les estimations sont exactes, le résultat du premier tour de l'élection présidentielle qui vient de tomber est comme un coup de tonnerre. Voir l'extrême droite représenter 20 % des voix dans notre pays et son principal candidat affronter celui de la droite au second tour est un signe très inquiétant pour la France et pour notre démocratie. Après cinq années de travail gouvernemental entièrement voué au service de notre pays, ce résultat est profondément décevant pour moi et ceux qui m'ont accompagné dans cette action. Je reste fier du travail accompli. Au-delà de la démagogie de la droite et de la dispersion de la gauche qui ont rendu possible cette situation, j'assume pleinement la responsabilité de cet échec et j'en tire les conclusions en me retirant de la vie politique (...). »

À cette annonce, les cris des militants se firent entendre, accentuant la gravité du moment.

Lionel, quelques jours plus tôt, avait éclaté de rire à la télévision lorsqu'un journaliste lui avait suggéré la possibilité qu'il ne soit pas au second tour. Il avait ri assez fort et avait répondu : « J'ai une imagination normale, mais tempérée par la raison quand même. »

Tu sais, Lionel, la plupart des gens ont une *imagination normale mais tempérée par la raison*. Même le plus créatif, le plus fou, ne pouvait pas prédire ce qu'il adviendrait de nous. Pense à tout ce qui est arrivé depuis ton éclat de rire, Lionel.

Ma première fois aux urnes fut donc un vrai fiasco. Et ce goût amer m'est resté. Je l'ai dans la bouche, aujourd'hui, plus que jamais.

Une première fois, on ne l'oublie pas.

Et je ne suis pas la seule à penser que le *21 avril 2002* fait partie de ces dates qui ont changé les choses pour toujours. On avait parlé de *séisme*, de *chaos*. Je me souviens de cette une d'un quotidien national, avec la photo du patriarche de l'extrême droite sur fond noir. Le journal titrait simplement : « NON ».

Je me souviens aussi de la *marée humaine* à Paris. *Une foule compacte* de République à Nation. Tous ensemble, les gens disaient NON.

Une foule de gens qui disait NON, au diapason. Des millions de personnes, en mai 2002, marchaient dans toutes les grandes villes du pays, ensemble, pour refuser *ça*.

Que s'est-il passé pour que quinze ans plus tard, quinze ans après le rire arrogant de Lionel, nous vivions strictement la même situation, au premier tour d'une élection présidentielle, sans que cela nous fasse lever un sourcil ?

Cette fois-ci, ni *séisme*, ni *chaos*. Non, la terre ne tremble plus. Personne ne s'affole, personne ne s'étonne. Plus personne ne se soulève. On a admis avoir perdu le feu.

Et entre les deux tours, quinze ans après, on peut sentir partout, à tous les étages, l'odeur du renoncement. Et c'est un parfum écœurant que celui de la résignation.

C'est si écœurant qu'on aurait pu reprendre, quasiment au mot près, le début du discours de Lionel :

« Si comme on peut le penser, les estimations sont exactes, le résultat du premier tour de l'élection présidentielle qui vient de tomber est comme un coup de tonnerre. Voir l'extrême droite représenter 20 % des voix dans notre pays et son principal candidat affronter celui de la droite (*gauche ? droite ? haut ? bas ?*) au second tour, est un signe très inquiétant pour la France et pour notre démocratie. »

J'ai repensé à Youri, et aux autres, au sourire de Zizou qui s'affichait sur l'Arc de Triomphe, à la beauté de cette foule en liesse sur les Champs-Élysées à l'été 1998. Notre imagination collective, même limitée par la raison, nous conduisait à nous rêver en plus grand, à percevoir que quelque chose de meilleur était à construire.

Que s'est-il passé pour que nous laissions ce millénaire nous voler le feu ?

25 ANS

*

« L'ARC-EN-CIEL »

Il y avait parfois de doux répits.

C'était un dimanche calme et le mois d'octobre nous offrait enfin une belle journée. Après une nuit d'averse, l'été réapparaissait par miracle. J'ai ouvert les rideaux et une douche de lumière m'est tombée dessus.

Comme souvent, Eddy était rentré au beau milieu de la nuit, sans prévenir. Je ne l'entendais jamais monter les marches de l'immeuble, dont le bois grinçait pourtant, ni mettre les clefs dans la porte, encore moins ôter ses chaussures ou traverser le couloir. Au début, ça me plaisait qu'il ait le pas léger, j'avais été séduite par la grâce de sa démarche, par sa façon d'effleurer le sol, de glisser presque.

Plus tard, je me suis rendu compte que ce sont les serpents qui ont cette façon de se déplacer.

(Il arrive même qu'en chemin ils abandonnent leur mue.)

Je réalisais qu'Eddy était là alors qu'il se mettait sous la couette. Il amenait avec lui l'étrange odeur de sa nuit. Il y avait le parfum des différentes peaux qu'il avait approchées, mêlé au souffle des dizaines de cigarettes qu'il avait probablement fumées, et à la pluie qui avait coulé le long des toits, puis des gouttières, pour finalement s'abattre sur son dos.

Je savais qu'il était libre, et je respectais son indépendance, son côté un peu sauvage, et ce, malgré toutes les questions (celles que je me retenais de poser).

Ce matin-là, Eddy s'est réveillé de bonne humeur et n'a pratiquement pas regardé son téléphone. (Depuis peu, il le verrouillait avec un code à quatre chiffres.)

J'ai attendu le moment approprié. J'imaginais qu'il en fallait un pour ce genre de nouvelle.

Alors qu'il finissait tout juste son café :

« Qu'est-ce qu'il y a ? Y a un problème ?

– Non, aucun. Je vais très bien.

– Pourquoi tu fais cette tête ? Tu souris, c'est bizarre.

– J'ai pas le droit de sourire ?

– Tu souris pas souvent comme ça…

– J'ai quelque chose à te dire.

– Tu me fais peur là… Y a quoi ?

– Je suis enceinte.

– … »

L'expression de son visage était inédite, une véritable chorégraphie faciale.

Un mélange de peur et de surprise. D'effroi et de stupéfaction.

« Ça te fait pas plaisir ?

– ... Si ! Mais bien sûr que ça me fait plaisir ! »

Ensuite, il m'a prise dans ses bras en répétant : « Je suis content ! Je suis trop content ! » Comme s'il essayait de s'en convaincre lui-même, comme si un metteur en scène accroupi dans un coin côté jardin lui indiquait une émotion à jouer.

J'étais tellement émue de cette grossesse.

J'ai pensé bêtement que cet heureux événement allait apaiser Eddy, qu'il serait débarrassé de toutes les choses qu'il trimballait, qu'il ne serait plus torturé. J'ai pensé que ça pourrait tout régler.

Il m'a prise sur ses genoux et m'a serrée contre lui, avant de murmurer : « J'ai pas de père. Je sais pas comment on fait. »

J'ai fait comme si je n'avais rien entendu.

Quelques jours plus tôt, un test digital qui pouvait estimer le stade de la grossesse avait affiché clairement *Enceinte* et, sur la ligne du dessous, *1 à 2 semaines*.

Tout de suite, j'avais senti mon cœur palpiter, et étrangement mes discussions nocturnes avec Carmen m'étaient revenues en mémoire.

Vers 13 ou 14 ans, ma mère me confiait parfois à Sylvia pour le week-end et je dormais avec Carmen, dans sa chambre, couchée dans le grand lit qu'on partageait et dans lequel on refaisait le monde jusqu'au petit matin. Je peux encore presque sentir l'adoucissant à la lavande qui parfumait les draps.

Carmen rêvait d'avoir un garçon.

« Mon fils, je l'appellerai Mamadou, comme le voisin du 8… ou Youssoufa, comme le surveillant du collège, tu sais, le Malien…

– Bah pourquoi ? T'es pas malienne toi.

– Et alors ?

– Le père de ton fils, il sera malien tu crois ?

– Pas obligé. C'est pas parce qu'on n'est pas malien qu'on n'a pas le droit d'avoir un prénom malien. Écoute, mon fils, même si son père c'est un Russe, il aura un prénom du Mali ou de n'importe quel pays où y a des Noirs, ça c'est clair. Comme ça, mon père, il aura la haine, ça lui mettra bien le seum. Il dit toujours des trucs cons sur les Noirs.

– Ton père, il s'en foutra à mon avis. Tu vois bien comment il est : il s'en fout de tout.

– Ouais, t'as raison. C'est un abruti de toute façon. En vrai, tu veux que j'te dise ? J'aimerais mieux que mon fils, il ait pas de père du tout ! Ça rime à rien un père ! À part viser dans le fond du vagin, ça fait rien d'intéressant. Tout le reste du temps, ça râle et ça boit de l'alcool. Ça sert à que dalle.

– Si, des fois, ça sert quand même.

– On se demande à quoi.

– Bah, il t'apprend la vie, à te débrouiller, et tout.

– Nan, pas du tout, se débrouiller, c'est un truc de mère.

– Ouais, c'est vrai. C'est un truc de mère.

– Tu sais, le jour où je tombe enceinte de mon fils, tu seras la première à le savoir. Je t'appellerai et je te dirai : "Zouzou, j'ai une bonne nouvelle, y a Mamadou qu'est en route !"

– Mais pourquoi tu veux absolument un garçon ?

– Parce que je sais que j'en ferai un bonhomme… Un bonhomme comme moi ! »

J'ai attendu qu'Eddy soit sorti de l'appartement pour appeler Carmen. J'avais le trac et je m'apprêtais à chuchoter. À croire que je reprenais contact avec un ancien amant.

Il avait essayé d'effacer son numéro de téléphone de mon répertoire, au moins mille fois, mais je le connaissais par cœur. Il ne voulait plus que je la fréquente. Eddy m'avait privée d'elle. Et le plus désolant, c'est que je l'avais laissé faire.

Il disait qu'elle avait une mauvaise influence sur moi, et que c'était qu'un tapin qui se faisait sauter par des inconnus, qu'elle avait peut-être même le sida. Quand il s'agissait de Carmen, il se montrait hargneux et vulgaire. Pour Eddy, il était hors de question que je la revoie, il disait : « Sinon tu vas devenir comme elle, un réservoir à foutre ! »

Dans ces moments-là, je l'ai détesté. Et ça ne m'était jamais arrivé avant. Ni de détester quelqu'un que j'aimais, ni de détester quelqu'un tout court.

J'avais besoin de partager cette nouvelle avec Carmen. La vie m'offrait une aventure que je n'imaginais pas vivre sans elle.

Il y avait des moments comme ça, où je pouvais sentir combien il était vital qu'elle et moi, on se connecte à nouveau.

J'avais le téléphone dans la main, et il s'est mis à vibrer dans ma paume fébrile et moite avant même que j'aie eu le temps de parcourir le répertoire et d'arriver à la lettre C.

Son nom s'est affiché comme par miracle, et, en guise de fond d'écran, une de nos photos préférées sur laquelle nous sommes joue contre joue. J'avais 17 ans et elle 19. (J'avais presque oublié qu'elle souriait.)

Par la vitre un peu poussiéreuse du salon, un arc-en-ciel est apparu ; il était merveilleux et ce n'était pas le fruit de mon imagination. Toutes ces couleurs se déployaient rien que pour moi. Je n'en avais pas vu de si beau depuis des mois, peut-être des années. Et je crois même que la dernière fois que c'était arrivé, j'étais avec Carmen.

J'ai décroché, et ma voix tremblait presque.

« Allo ?

– … Madame, bonjour, c'est les sapeurs-pompiers de Paris. Vous êtes Zouina ?

– Oui, c'est moi. Y a un problème ?!

– C'est votre amie qui nous a demandé de vous appeler. Elle est avec nous dans le camion. On l'emmène à la Salpêtrière. Vous affolez pas trop, ça va s'arranger, mais là, elle est bien dans les vapes. Elle a demandé à vous voir. Je crois qu'elle a essayé de faire une bêtise.

– Quoi ?!

– C'est une TS. Elle a pris beaucoup de médicaments. »

Par la fenêtre, les couleurs de l'arc-en-ciel, déjà, étaient en train de s'estomper.

15 ANS

*

« 11 SEPTEMBRE 2001 »

Ça me paraît évident.

C'est là que tout s'est effondré.

Pas seulement les deux tours. Tout le reste aussi.

Depuis ce jour-là, il me semble que le monde fait de son mieux pour tenir debout.

Avant, c'était comment ? Est-ce qu'on cherchait déjà l'ennemi parmi nous ? Est-ce qu'il y avait autant de peur ?

Il y a les images qui restent. Celles des tours qui s'écroulent, celles d'une foule de zombies qui se disperse dans l'effroi, celles de la poussière qui recouvre les épaules et les figures, celles des flammes qui dansent entre le ciel et l'enfer.

Pour moi, il y a surtout une image, celle d'une chute.

Un homme se jette par la fenêtre de l'une des tours, tête en bas.

Il décide de sauter, de ne pas attendre la mort, mais d'aller au-devant.

Si seulement on vivait tous comme est mort *the falling man.*

Si on allait au-devant de la vie, tête la première, si on sautait, si seulement on vivait éperdument.

***

« LE NAUFRAGE »

C'est une règle d'or dans la marine. Même en pleine tempête, un commandant n'abandonne jamais son navire. Il ne quitte pas le bateau avant d'avoir évacué tous les passagers.

D'abord, il faut mettre tout le monde à l'abri.

25 ANS

*

« LA VIE, À NOUVEAU »

Ce qui nous sauve, c'est la foi. Croire, ça vous supplie de rester en vie.

Carmen était sûre, malgré tout, que je viendrais.

Peu importe où j'étais dans le monde, et avec qui, je viendrais lui tendre la main et tirer de toutes mes forces pour la sortir de là.

Je n'avais pas tiré assez fort avant.

Mes neuf mois de grossesse ont été ponctués par nos rendez-vous clandestins.

Je m'assurais qu'elle mange, qu'elle dorme la nuit, qu'elle ne reste plus seule. À mesure que je m'arrondissais, Carmen retrouvait le sourire.

Elle m'a accompagnée à toutes les échographies, à la place d'Eddy, que ses opportunités professionnelles avaient davantage éloigné de moi.

« Je serai là pour la naissance, c'est quand même ça le principal ! C'est dingue, ce truc de bobo de vouloir impliquer le père dans tout.

Cette magie-là, c'est un truc de femme. À quoi ça servirait que je vienne, hein ?

– Ouais, c'est clair... L'échographie, on s'en fiche, c'est pas important, si le bébé va bien, y a pas de souci.

– Ma mère, tu sais, elle a jamais fait d'échographie ! Et mon père, je t'en parle pas... Il sait même pas que j'existe et je m'en porte pas plus mal.

– Oui, va à ton tournage en Belgique, t'inquiète.

– Alors ça te dérange pas ?

– Nan. Pas du tout.

– Je savais que tu comprendrais. Si y a problème, t'appelles ta mère, hein ?

– Mais oui, t'inquiète pas. »

Quand je lui avais pris la main, à l'hôpital de la Pitié-Salpêtrière, alors que ses larmes se frayaient un chemin sur ses joues, contournant le masque à oxygène, la première chose que j'ai dite à Carmen, a été : « J'ai besoin de toi. »

Elle ouvrait à peine les yeux et m'a répondu : « Moi aussi. »

Son souffle a fait de la buée à l'intérieur du masque.

Le bruit des machines, les tuyaux, l'inscription *Hôpitaux de Paris* sur les draps jaunes, l'odeur de désinfectant, les doigts de Carmen que je serrais dans ma main... Je n'ai rien oublié de cet instant. Je ne laisserais plus jamais qui que ce soit m'éloigner d'elle.

Je lui ai parlé tout près de l'oreille.

« J'ai quelque chose à te dire… C'est une bonne nouvelle. Mamadou est en route… »

Carmen a souri. Et je lui ai embrassé le front.

25 ANS

*

« LE BLEU PARFAIT DES CIELS DE PRINTEMPS »

Le miracle de la vie.

On a tout dit. On a tout écrit là-dessus. Et ce serait prétentieux de penser qu'on a quelque chose d'original à raconter sur le sujet.

Il n'en reste pas moins que, en donnant naissance à un seul être, on a le sentiment d'œuvrer pour l'humanité tout entière. J'ai senti la peau de ma fille contre ma peau, effleuré son épaule, et déjà, tout autour de moi, le monde avait changé. La pureté et la fragilité de mon bébé m'ont fait prendre conscience qu'elle faisait son entrée dans la vie et ses tourments et qu'il fallait que je la protège.

Oui, j'avais entendu ma mère me raconter des milliers de fois le jour de ma naissance, cet instant magique où elle m'a tenue dans ses bras pour la première fois. (Cet instant magique qu'elle n'a jamais essayé d'embellir particulièrement puisqu'elle m'avait aussi beaucoup parlé de son épisiotomie, des crevasses qui l'ont empêchée d'allaiter et évidemment du fait qu'elle était la seule à se réveiller quand je pleurais la nuit.)

« Tu connais ton père ! Tu crois que c'était le genre à préparer les biberons ? Tu parles ! Il en foutait pas une ! Il a jamais changé une couche de sa vie ! Ah, pour les faire les bébés, y a pas de problème ! Mais pour s'en occuper après, bah y a plus personne, hein ! »

Tout le monde a déjà entendu parler de l'instinct maternel. Je me souviens de ce documentaire animalier qui était passé un soir tard sur une chaîne du câble, on y voyait des éléphantes encercler leurs petits pour les protéger d'une horde de crocodiles. C'était fascinant. J'en avais été émue aux larmes et je m'étais trouvée bête d'avoir pleuré pour ça.

Eddy a assisté à l'accouchement, et il a été très attentionné cette fois-là. Je n'avais pas grand-chose à lui reprocher. Ma valise était prête, tous les bodys, bonnets et pyjamas pour le bébé soigneusement lavés et pliés.

Vers 7 heures du matin, quand j'ai perdu les eaux, Eddy a appelé les pompiers immédiatement. Il m'a tenu la main et m'a encouragée pour m'aider à supporter les contractions. Il a essayé de me faire rire chaque fois qu'une infirmière venait vérifier la dilatation de mon col, ce qui me faisait oublier ma gêne. Il m'apportait à boire régulièrement aussi pour éviter que je me déshydrate. Non, il a été très bien. Vraiment. Tout était parfait.

Les filles du service me soufflaient, complices et un peu envieuses : « Vous en avez de la chance ! C'est évident qu'il fera un super-papa ! »

Il était flatté, relevait le menton, feignant de n'avoir rien entendu, il reprenait de plus belle sa partition de mari modèle. Quand j'y repense, peut-être que c'était réel après tout. Probablement que si on retient cette journée, celle où notre fille est venue au monde, elle était pleine de vérité et de sentiments. Ce moment unique a peut-être fait jaillir ce qu'Eddy a de meilleur en lui et a étouffé miraculeusement ce qu'il a de pire, de sombre et de fou. J'essaie de garder en mémoire ce vendredi de mai comme un joli souvenir. S'il ne devait en rester qu'un, s'il a vraiment existé, je garderais celui-là.

En vérité, Eddy était présent et affichait un air heureux, mais il aurait très bien pu être ailleurs, absent ou mort. Ça m'était complètement égal. J'étais toute seule en réalité. Même les voix des sages-femmes me semblaient floues, lointaines, incertaines. Je me foutais de tout le reste et j'ai oublié tout ce que j'avais lu dans les livres.

Il y avait simplement cette grande fenêtre entrouverte, qui laissait passer le sifflement de la brise, et à travers laquelle on pouvait apercevoir un morceau de bleu. Un bleu parfait, comme seul peut en offrir un ciel de printemps. Cette grande fenêtre donnait sur un immeuble, sur le toit de cet immeuble, il y avait une terrasse, et sur cette terrasse, il y avait des fleurs. J'admirais ce gigantesque buisson de lilas en pleine floraison et je pouvais presque en respirer le parfum. Toute cette beauté n'avait plus rien d'anodin à mes yeux. La douleur s'envolait avec les pétales. C'était prodigieux. Le buisson de lilas attira toute mon attention jusqu'à l'ultime poussée qui amena mon enfant à notre monde. Ses yeux bruns étaient complètement ouverts et je me rappelle qu'elle m'a regardée tout au fond de l'âme, juste avant qu'on ne dépose son petit corps humide et chaud sur ma poitrine. Et alors, ça pouvait s'arrêter là. Je savais intimement que je ne vivrais jamais rien de plus beau.

Le miracle de la vie.

Oui, on a déjà tout dit, déjà tout écrit là-dessus. Il n'y a plus rien d'original à raconter sur le sujet.

Mes parents sont arrivés bras dessus, bras dessous.

Deux miracles le même jour ?

Maman pleurait déjà, elle s'est précipitée au-dessus du berceau pour admirer sa petite-fille qui dormait à poings fermés, confortablement installée sous une couverture hypoallergénique.

Elle remuait la tête, les mains posées sur ses joues mouillées, comme si elle ne croyait pas à ce qu'elle voyait. Ses ongles étaient impeccables, comme d'habitude. Ma mère a fondu en larmes et m'a prise dans ses bras, sans parler, sans dire un mot, ce qui était assez rare pour être souligné.

Mon père, quant à lui, timidement, s'est servi de ses deux longues jambes arquées pour se rapprocher. Il osait à peine regarder. Il a mis les mains derrière son dos et s'est mis à tourner autour du berceau, il l'a observé quelques secondes, en hochant la tête.

Ensuite, il m'a regardée en souriant : « Eh bah dis donc… qu'est-ce qu'elle est belle ! »

Je crois que c'est la toute première fois que j'entendais mon père faire un compliment. Il ne m'était pas adressé, à moi, mais à ma fille, et c'était encore mieux, encore plus beau.

Un peu plus tard, Eddy est allé chercher Rita, sa mère, qui attendait dans le hall de l'hôpital. D'ailleurs Eddy ne l'a jamais appelée maman, mais Rita, comme n'importe qui d'autre, comme n'importe quel individu qui ne proviendrait pas de son utérus. Rita arrivait de Toulon spécialement pour l'occasion. Je ne l'avais jamais vue auparavant, et quelques rares fois, au téléphone, nous avions échangé des banalités. En la voyant entrer dans la chambre, j'ai trouvé qu'elle ressemblait à une vieille prostituée, ce qui m'a mise mal à l'aise, et j'ai évidemment repensé à toutes les descriptions que son fils m'avait faites d'elle. Il l'idéalisait tellement que je m'étais construit l'image d'une espèce de Sophia Loren provençale, et là, on était loin du compte. (Ça m'avait fait la même impression que quand on découvre dans son assiette un vieil hamburger tout rabougri qui n'a plus grand-chose à voir avec la photo sur le menu.)

Elle vivait aussi dans une caravane, dans le Sud de la France, avec Lolo, son petit ami de 23 ans (soit sept ans de moins qu'Eddy !).

« Lolo il a pas pu venir. Tu sais, il a son concours de moto, là. (À mes parents :) Bonjour messieurs dames. Coucou la maman ! Bon alors ? Elle est où hein ? Elle est où la beauté ? »

Elle portait un rouge à lèvres vermeil, une sorte de couleur bâtarde à cheval entre le rouge et le orange et lorsqu'elle a arraché la petite des bras de ma mère, qu'elle a approché ses lèvres de son visage, je me suis crispée de peur qu'elle ne l'embrasse.

« T'inquiète pas va ! J'ai l'habitude des petits ! Je vais pas te la casser ! Tu sais que j'ai accouché d'Eddy à la caravane, toute seule, sans péridurale ni rien. Ma tante m'a entendue crier, elle est arrivée, mais il avait déjà sorti la tête, j'avais déjà fait tout le boulot. J'avais 15 ans, t'imagines ! 15 ans ! Pas vrai mon fils ? »

Tandis que ma mère, l'air offusqué, me faisait des regards en biais, mon père, lui, matait les jambes bronzées de ma belle-mère, et tout ça m'a donné envie de pleurer. Les hormones, l'épuisement, la honte ? Je n'étais plus sûre.

Ils ont tous fini par sortir de la pièce pour me laisser en tête à tête avec mon bébé, à qui j'avais enfin donné un prénom.

Lila.

26 ANS

*

« UN RÊVE »

Déjà, à l'heure des premières berceuses, je fredonnais Abba. « I Have a Dream » était la préférée de ma fille. Certes, mon interprétation n'était pas aussi bouleversante que celle de Frida Lyngstad, mais j'y mettais tout mon cœur, et chaque fois, Lila s'endormait paisiblement.

I have a dream, a song to sing
J'ai un rêve, une chanson à chanter
To help me cope with anything
Pour m'aider à faire face à tout
If you see the wonder of a fairy tale
Si tu vois la merveille d'un conte de fées
You can take the future even if you fail
Tu peux prendre les choses du bon côté, même si tu échoues
I believe in angels
Je crois aux anges
Something good in everything I see
En quelque chose de bon dans tout ce que je vois

I believe in angels
Je crois aux anges
When I know the time is right for me
Quand le temps me semblera bon
I'll cross the stream – I have a dream
Je traverserai le torrent – j'ai un rêve

I have a dream, a fantasy
J'ai un rêve, une fantaisie
To help me through reality
Pour m'aider à affronter la réalité
And my destination makes it worth the while
Ainsi mon but trouve sa raison
Pushing through the darkness still another mile
Me permettant d'avancer encore un peu dans l'obscurité

Je suis sûre que ma fille, comme moi, et comme ma mère avant moi, aimera Abba.

26 ANS

*

« TATA »

Carmen avait pris une bonne vingtaine de kilos, peut-être plus. Ça l'obligeait à s'habiller dans les rayons grandes tailles et c'était le pire pour elle, d'avoir un rayon à part. Pour les soutiens-gorge, il n'y avait que les boutiques spécialisées où la lingerie est hors de prix qui proposaient quelque chose qui lui convienne. Sa poitrine n'était plus seulement *généreuse,* elle était devenue énorme, encombrante, envahissante, à croire que Carmen essayait de se cacher derrière.

« Je te parie que si Lila se mettait à me téter, j'aurais des litres et des litres de lait qui jailliraient de là, une cascade de lait frais qui pourrait nourrir des millions de bébés à travers le monde. »

Elle n'avait d'yeux que pour elle désormais. La vie avait repris le dessus. Lila par-ci, Lila par-là. Elle la gâtait comme personne. Des jouets, des vêtements, des peluches, des livres, chaque fois, elle apportait des sacs débordant de cadeaux. Je me sentais gênée qu'elle y laisse son petit salaire. Mais l'inespéré coup de foudre qui avait eu lieu entre Carmen et ma fille nous avait redonné de l'espoir, et je ne pouvais pas la priver du moindre aspect de son rôle de tata, quitte à lui sacrifier des rituels que j'adorais partager avec Lila, comme l'histoire du soir ou le bain.

Je me souviens qu'elle avait une manière très touchante de l'appeler « ma grosse ».

Tous les prétextes étaient bons pour une visite de tata Carmen. Nous habitions désormais plus près l'une de l'autre. (Nous, dans l'ancien appartement de Simone, dans le 15e arrondissement, et Carmen, toujours dans son studio sous les toits d'un vieil immeuble juste derrière la gare Montparnasse.)

Ce rapprochement n'était pas seulement géographique. Nous nous étions retrouvées.

Les longues et fréquentes absences d'Eddy y étaient aussi pour quelque chose.

Depuis qu'il avait été repéré dans un téléfilm belge, et qu'il avait un agent, les choses s'étaient accélérées pour lui. Il tournait pas mal. À l'époque, une série pour Canal+, dont l'essentiel de l'intrigue se déroulait à Marseille.

Après plusieurs semaines, il ne rentrait plus aussi souvent à la maison. Trop fatigué par ses allers-retours, il avait fini par rester sur place, même pendant ses jours *off*. Il disait qu'il s'en voulait de nous laisser seules, la petite et moi, mais qu'il devait s'économiser. Et surtout, il ne fallait pas que j'oublie que, s'il faisait tout ça, c'était *pour nous*. Un jour, j'avais voulu lui faire la surprise de le rejoindre pour le week-end. J'avais appelé son agent, Pascal Boukhobza, que tout le monde surnommait Boubou dans la profession, et je me souviens du malaise que ça m'avait provoqué de dire : « Allo Boubou ? », comme si nous étions familiers. Il n'avait pas eu l'air incommodé puisqu'il m'avait aussitôt répondu : « Oui ma chérie !... Qui c'est ?! »

Je lui avais demandé les coordonnées de la résidence où était logé Eddy, et loin d'être touché par ma petite attention, Boubou avait tout tenté pour me dissuader de venir. Il avait d'abord invoqué un emploi du temps surchargé, puis m'avait expliqué que ça risquait de mettre la pression à Eddy de nous voir débarquer comme ça et qu'il pourrait manquer de concentration pour tourner ses scènes. « Un truc d'acteur, tu comprends ? » Il m'avait aussi dit qu'un bébé, ça pleurait beaucoup et que l'ingénieur du son pourrait décider de nous virer du plateau. Je voyais bien qu'il essayait de protéger sa petite vedette, alors j'avais renoncé sans poser davantage de questions.

J'avais aussi renoncé à téléphoner à Eddy le soir pour lui raconter nos journées, qui devaient de toute façon lui paraître bien ennuyeuses comparées aux siennes. C'est surtout parce qu'il était injoignable, sur répondeur en permanence.

Parfois, je m'agaçais, j'en pleurais même. Je pensais : « Et s'il nous arrivait quelque chose, à ma fille et à moi ? » D'autres fois, je réalisais avec beaucoup de lucidité que, quoi qu'il en soit, il ne serait pas la personne que j'appellerais en cas de besoin.

J'appellerais maman d'abord, mon père ensuite et Carmen évidemment.

L'annonce sur sa messagerie vocale, je m'en souviens très bien, c'était un extrait de mauvaise qualité de « November Rain » des Guns N'Roses. Eddy adorait ce groupe de musiciens crasseux et chevelus. Moi, je trouvais qu'ils avaient l'air de sentir la pisse.

« De quoi tu parles ? T'y connais rien à la musique ! T'écoutes de la merde ! Abba, sérieux ? Quel genre de meuf écoute cette merde ? »

J'ai toujours pensé que les gens qui n'aiment pas Abba ont le cœur aride, ils n'aiment pas la vie. Les membres du groupe Abba, eux, au moins, portaient des vêtements propres et pailletés, et ils donnaient l'impression de sentir la lavande.

J'ai aussi toujours pensé que mettre un extrait pourri d'une chanson sur son répondeur, c'est le summum du *ringard.* (Tout ce qu'on veut entendre sur une messagerie, c'est le bip, putain, que ce soit bien clair une fois pour toutes.)

Son heure de gloire était enfin arrivée, Eddy donnait ses premières interviews, dans lesquelles, sous prétexte de *préserver notre vie privée,* il se faisait passer pour célibataire. Pendant ce temps, notre fille faisait ses premiers pas, elle disait ses premiers mots et dormait à côté de moi dans le grand lit.

Le fossé se creusait sous mes yeux cernés par la fatigue. Il y avait d'un côté le saltimbanque nomade et, de l'autre, la mère au foyer sédentaire et triste, dont la vie ne tournait plus qu'autour de son enfant.

Ce n'était plus un problème de distance. Même de retour à Paris, Eddy ne passait pas plus de temps avec nous. Il y avait des rendez-vous, des lectures, des essais, des avant-premières, auxquels il devait ABSOLUMENT assister. Je ne pouvais évidemment pas l'accompagner. Il avait toujours une bonne raison de me faire rester à la maison. Ces événements show-biz inratables pouvaient durer parfois jusqu'au petit matin et avaient lieu dans des endroits mystérieux qui avaient le pouvoir de brouiller inexplicablement le réseau de son téléphone portable. (?)

Les rares et miraculeuses activités que nous faisions en famille étaient trop souvent avortées par un coup de fil discret.

« Je suis désolé, c'est mon agent, faut que j'y aille, j'ai un truc hyper-important, j'avais complètement oublié... »

Je ne réagissais même plus lorsqu'il me laissait plantée en plein milieu de quelque part avec mon sac à langer, ma poussette et mon bébé à l'intérieur, qui n'avait encore jamais prononcé le mot « papa ». Ce qui est venu après « maman », ça a été « tata ».

Et lorsque c'est arrivé, pour la première fois, depuis très, très longtemps, Carmen avait été emplie de joie, elle en avait été émue aux larmes. Ce jour-là, Carmen a eu 15 ans à nouveau.

7 ANS

*

« L'ORAGE »

Il y a certaines peurs dont on ne se débarrasse jamais.

Au mieux, on arrive à les enfouir quelque part, tout au fond, jusqu'au moment où elles se mettent à déborder. Elles finissent toujours par déborder un jour ou l'autre.

On fait semblant de les ignorer, mais elles sont là, elles résistent.

Ma plus grande trouille d'enfant, je l'ai vécue au cœur d'une nuit orageuse, une nuit d'été, chaude et lourde. Je sentais une compression sur mon fragile petit thorax tandis que j'étais terrée dans mon lit à motifs *têtes de grenouille*. (Quelle idée de fabriquer ça ?)

Quand a surgi cette veine lumineuse qui a déchiré le ciel noir, c'était d'abord très beau. Le flash muet qui a fendu la nuit m'avait presque hypnotisée.

Ensuite, il y eut ce silence immense, annonciateur de l'intense fracas qui allait résonner l'instant d'après. J'ai eu si peur que mon corps s'est littéralement paralysé.

L'orage m'avait fait l'effet d'une bande-annonce de l'apocalypse.

Alors, je me suis repliée sur moi-même en me bouchant les oreilles et en fermant les yeux. Je fredonnais « À la claire fontaine », en me balançant d'avant en arrière. Miraculeusement, après quelques secondes, j'ai réussi à m'évader. Mon esprit m'avait transportée loin de la foudre, loin de ma chambre sombre. À des années-lumière de mon affreux lit à motifs de grenouilles, je cueillais des marguerites dans une clairière en attendant que le calme revienne.

Certaines personnes ont des prédispositions pour le déni.

26 ANS

*

« LES TRACES QUE ÇA LAISSE »

La vaisselle s'entassait dans l'évier. J'ai décidé de m'y mettre pendant que Carmen et Lila dormaient encore d'un sommeil complice, elles étaient tellement attendrissantes que je me rappelle les avoir prises en photo ce jour-là.

J'avais aussi des machines en retard, une montagne de linge à laver m'attendait dans la corbeille.

Eddy était rentré la veille au matin pour une ou deux heures seulement, il n'avait même pas ôté ses lunettes de soleil pour embrasser sa fille et avait déposé un sac de vêtements sales à mes pieds. Il était prévu qu'il reste avec nous quelques jours avant de repartir, mais il avait reçu un message de l'assistant réalisateur qui l'avertissait que le plan de travail avait changé au dernier moment.

Ce n'est pas que ça me décevait. C'est que je ne ressentais plus grand-chose. L'humiliation était devenue familière. Il y avait longtemps que je ne cherchais plus d'amour dans les yeux d'Eddy. La plupart du temps, à son retour à la maison, je traînais dans des vêtements usés, confortables et difformes, qui me faisaient une silhouette dégueulasse. J'attachais toujours mes longs cheveux sans même les peigner, je ne me parfumais jamais, je ne me maquillais plus, et ma peau s'était relâchée sans que je puisse rien y faire. J'avais l'impression d'être un de ces fantômes grotesques qui flottent en faisait *Bouuuuuh* pour s'entraîner à effrayer des enfants qui, loin d'avoir peur, leur explosent de rire à la figure.

J'ai vidé son sac de linge qui empestait le parfum, celui que j'avais adoré sentir sur son torse autrefois, auquel il était toujours fidèle.

Son parfum boisé racontait sa virilité, qu'il avait la volonté d'afficher. Dans nos conflits, même si ça n'avait aucun rapport, il commençait toujours ses phrases par : « Je suis un homme ! » Ça venait de loin. C'était une revendication. Il le disait comme si, perpétuellement, à ses yeux, ce fait était remis en question.

Un homme, oui, un autre homme, un étranger qui avait réussi à troubler complètement la frontière entre l'amour et le mépris, entre la tendresse et le dégoût.

C'est alors que Carmen, avec toute sa bienveillance, s'est penchée, toute poitrine en avant, pour m'aider à trier les vêtements de ce type qu'elle détestait – qu'elle avait détesté au premier regard.

« Laisse, je vais le faire... Oh putain, dégueulasse son parfum, il sent la couille. Je déteste ce genre de parfum, c'est fait pour les gorilles ce truc. »

On a trié d'abord le blanc. Carmen m'a alors agité un tee-shirt sous le nez, la figure blême.

« C'est quoi ce délire ? »

J'ai regardé mon amie, avec toute la faiblesse dont j'étais capable, même pas droit dans les yeux, faisant mine d'examiner le tee-shirt, j'ai répondu : « Je sais pas, une tache. »

Comme si de rien n'était, j'ai continué à séparer le blanc des couleurs, comme on essaie de séparer l'amour de la haine (rien à faire, ça déteint toujours).

« Tu te fous de ma gueule ? Tu vois bien que c'est du fond de teint !

– C'est peut-être de la sauce, j'en sais rien...

– Arrête-moi ça putain ! Tu m'expliques comment tu te mets de la sauce sur le col de ton tee-shirt ? C'est du fond de teint, je te dis.

– Oui bah, peut-être, c'est du fond de teint, oui.

– ... C'est tout l'effet que ça te fait ?

– Si ça part pas au lavage, je ferai tremper avec de l'eau de Javel.

– J'hallucine.

– Laisse tomber s'te plaît. On s'en fout.

– Comment ça, “on s’en fout” ?... C’est pas la première fois que ça arrive, pas vrai ? »

Carmen tombait des nues. Littéralement. Elle avait les mains enfoncées dans ses hanches dodues. Elle n’en revenait pas de ma résignation.

Ce n’était évidemment pas la première fois.

La première fois, je m’en souviens, j’étais en larmes, j’essayais d’appeler Eddy, je suffoquais. Il ne décrochait pas. Ça n’arrêtait pas de sonner, il me semble avoir entendu des milliers de sonneries, et puis ce fichu répondeur et son putain de « November Rain » des Guns N’Roses. Le regard dans le vague, les joues rouges embrasées par l’émotion et mon oreille chaude, contre laquelle je collais le téléphone avec plus d’intensité, pour la première fois j’avais été attentive aux paroles de la chanson.

« (...) **Cause nothin’ lasts forever**
Car que rien ne dure éternellement
Even cold November rain
Pas même la pluie froide de novembre
Don’t ya think that you need somebody
Ne crois-tu pas que tu as besoin de quelqu’un ?
Don’t ya think that you need someone
Ne crois-tu pas que tu as besoin de quelqu’un ?
Everybody needs somebody
Tout le monde a besoin de quelqu’un
You’re not the only one
Tu n’es pas la seule

You're not the only one
Tu n'es pas la seule. »

Après quelques heures, je m'étais calmée. Je devais me calmer. Ma fille faisait la sieste et je ne voulais pas qu'à son réveil elle voie sa maman la figure mouillée, ternie par la honte.

J'avais fini par écrire un SMS à Eddy, accompagné d'une photo de sa chemise blanche, *mais beige par endroits*. La réponse ne s'était pas fait attendre.

Je l'ai imaginé m'écrire ce message sans trembler, sans perdre une seconde son sang-froid. Loin de se démonter, il avait répondu : « T'es sérieuse ? Je te rappelle que je suis comédien, et qu'on me maquille avant de tourner mes scènes… Pfff. T'y comprends vraiment rien. Évite-moi tes crises de jalousie, je bosse. »

Il avait réussi à me faire taire, à avoir le dessus, je crois même que j'ai dû m'excuser tellement je m'étais sentie idiote sur le coup. *Bien sûr, c'est seulement une trace de fond de teint, comment j'ai pu ne pas y penser ! Il est comédien, il passe au maquillage avant de tourner, évidemment !*

Ça a duré un moment avant que je réalise qu'il ne tournait jamais de scène avec ses vêtements personnels. Il y avait effectivement une maquilleuse, mais aussi une costumière qui fournissait les tenues et une assistante qui les envoyait au pressing.

« En plus, cet enfoiré a le culot de te ramener ses fringues à laver ! Regarde-moi ce bordel, ça dégouline de maquillage, regarde bien cette trace, tu sais ce que c'est ça ? C'est une trace de pute ! Je les reconnais ! Les putes adorent laisser leur marque là où elles passent. »

Lila s'était réveillée et arrivait vers nous encore ensommeillée, les cheveux ébouriffés et la démarche déséquilibrée par le poids de sa couche.

« Mon bébé, viens voir maman ! Regarde comme elle est marrante, t'as vu comment elle marche ! On dirait Charlie Chaplin ! »

Carmen a embrassé Lila.

« Va lui changer sa couche, je vais finir de m'occuper de ce bordel. Mais crois pas que j'en aie fini avec toi ! »

Je connais Carmen par cœur, je savais qu'elle remettrait vite ça sur le tapis. Qu'elle essaierait de me faire parler. Je savais qu'elle chercherait à me sortir de là, qu'elle voudrait me libérer. Pour me sauver, elle ne ferait aucune concession, elle me dirait les mêmes phrases, les mêmes mots que ceux que je répétais, il y a quelques années, à l'époque où elle ne prenait plus de douches et qu'elle s'endormait tout habillée. Elle me ferait les mêmes sermons que ceux que je lui servais si elle avait le malheur de trop boire, ou de fumer trop de shit. Elle me crierait dessus, comme je l'ai fait la fois où elle avait eu un rapport non protégé avec un plouc rencontré en boîte. C'est certain, Carmen essaierait de m'aider à son tour.

J'ai souri, parce que j'ai pensé qu'elle allait mieux. Et je me sentais coupable parce que j'avais abandonné mon amie. Je l'avais négligée, la laissant se débattre avec son mal-être, tout ça pour l'amour d'un homme. Voilà comment j'étais punie : celui pour qui j'avais tout délaissé, y compris moi-même, posait à mes pieds les traces de sa trahison.

Si Carmen n'en avait pas fini avec moi, alors il faudrait aussi sûrement parler des cheveux que j'avais retrouvés dans la brosse. À coup sûr, on allait parler des coups de fil masqués, qui surviennent tard dans la nuit et qui s'interrompent aussitôt que je dis « Allo », parfois ils durent quelques secondes, le temps de reconnaître la respiration haletante, toujours la même. Est-ce qu'il faudrait qu'on parle de cette actrice brune qui avait la main posée sur son genou au cours de cette interview vidéo ? Ils avaient l'air si complices que je n'avais pas réussi à la visionner jusqu'au bout, ça m'avait filé une crampe à l'estomac. Je l'avais traquée sur Internet, dans un élan masochiste, en pleine nuit. Elle s'appelait Antonina Brunelli, *un vrai nom de pute,* dirait Carmen. La peau dorée, les yeux rieurs, des gestes gracieux. Face à la caméra, alors qu'elle parlait de son ambition, jamais elle n'avait détourné le regard. Elle avait l'air si sûre d'elle. Tout à fait le genre de fille à se peigner les cheveux avec la brosse d'un amant, ou à frotter sa joue pleine de fond de teint sur le col de chemise d'un homme marié, le genre de femme qui se signale, qui essaie de dire « oui, je suis là, j'étais là, tout le temps, près de lui, cette nuit encore, pendant que tu te réveillais, la gueule de travers, pour allaiter ton bébé, j'étais avec lui et, dans mes bras, je te garantis que pas une seconde il ne pense à toi ».

On pouvait entendre la voix off du journaliste qui l'avait interviewée dire d'un ton admiratif : « Antonina Brunelli n'a que 20 ans, et déjà, elle a tout d'une grande. »

Et moi, sans aucun doute, j'avais entendu :

« Antonina Brunelli n'a que 20 ans, et déjà, elle a tout d'une pute. »

27 ANS

*

« ZELGOUM »

J'ai marié mon père.

J'ai marié mon père, comme un père marie sa fille.

J'avais payé les travaux pour refaire son appartement à neuf. Il devenait de plus en plus glauque, cet appartement ; les ampoules finissaient toujours par griller, le plancher était plein d'échardes qui se plantaient vicieusement dans vos pieds, sans parler du bruit de la brasserie en dessous : les verres qui s'entrechoquent, la porte qui claque, les bagarres de poivrots, tout ça ressemblait à un châtiment dans un mythe grec. Même pour mon père qui était un brin sourdingue, ça devenait insupportable. Papa avait commencé à me parler de bricoler un truc ou deux, j'avais d'abord cru à un énième prétexte pour me soutirer quelques euros et aller s'acheter des jeux de grattage. Mais j'ai vite réalisé qu'il abordait le sujet très sérieusement. Il lui fallait une moquette pour isoler un peu, ou du lino imitation parquet pour le sol, comme celui de son copain Raoul. Il a aussi parlé de racheter un frigo, de donner un petit coup de peinture et de faire une chambre à coucher digne de ce nom. Quelque chose avec du goût, qui serait un peu *féminin*. Là, bien sûr, ça m'a mis la puce à l'oreille.

Plus aucun doute possible. Il y avait donc une femme.

On a jeté toutes ses vieilleries, à l'exception de son cendrier de collection à l'effigie d'une marque de pastis partenaire du Tour de France. Il y tenait beaucoup, visiblement. Impossible de le convaincre de s'en débarrasser. Je me suis rappelé que c'était Nadine qui lui en avait fait cadeau quelques années plus tôt, son ancienne petite amie corse qui était serveuse au bar. Je réalisais qu'il avait dû en être amoureux. Dans mon souvenir, elle s'était volatilisée.

« Papa, qu'est-ce qu'elle est devenue, Nadine ?

– Hein ? Qui ça ?

– Nadine ! La blonde qui était coiffée comme Michel Polnareff. Ton ancienne copine. C'est bien elle qui t'avait offert le cendrier, je me rappelle.

– Tu te rappelles de ça, toi ?

– Bien sûr.

– Oh, tu sais... Tout s'envole. Paf ! (Il a claqué des doigts.) Nadine, c'était une étoile filante. Elle a laissé un mot. Je comprenais même pas son écriture, c'était illisible. On devrait pas laisser de mot d'adieu quand on écrit mal.

– Elle t'a quitté ?

– Eh oh là ! Touche pas à la béquille de papi ! (À moi :) Zouzou, empêche la petite de toucher à ma béquille, elle va lui tomber sur la tête.

– Lila ! Touche pas à ça !.... Alors c'est ça... Elle t'a quitté ?

– Comme ta mère, comme toutes les autres. Elles me quittent toutes, de toute façon. Sauf toi, hein ma fifille, toi tu quitteras pas papi, hein ? (Il a eu une quinte de toux, longue, très longue. J'ai attendu qu'elle passe.)

– Mais pourquoi tu m'as jamais rien raconté ?

– Tu m'as jamais rien demandé non plus.

– ...

– Nadine, elle voulait retourner en Corse, si tu veux tout savoir. Elle devait reprendre le restaurant de son frère qui était en train de claquer d'un cancer, elle m'a demandé de partir avec elle, là-bas, sur son île. Paris-Bastia, ça fait bien dans les 900 km.

– C'était quoi le problème ? Pourquoi t'as refusé ? »

Il a mouillé ses lèvres brunes et fines.

« Déjà que je te voyais qu'un week-end sur deux... »

Après ça, il a haussé les sourcils, l'air de dire que rester près de moi, c'était une décision évidente, à laquelle il n'avait même pas réfléchi.

J'en ai été bouleversée. À croire qu'il venait de me mettre un coup de poing dans le ventre. Mon père était resté *pour moi*. Pour les instants furtifs qu'on vivait dans cet appartement miteux, les plats surgelés pas assez réchauffés ou les sandwichs *camembert-banane* qu'il avait inventés quand la musique du vide résonnait dans le frigo. Je me souviens aussi des *car wash* sauvages que je l'aidais à faire sur sa Peugeot cabossée qui roulait un jour sur deux, des matchs de catch qu'on regardait la nuit, de nos balades silencieuses sur la grande avenue. Il était resté pour me voir grandir, me pousser à « marcher comme une fille », me voir devenir une femme.

Et là, cette drôle de révélation, tandis que Lila jouait autour de ses deux longues jambes comme si elle cherchait son chemin dans un labyrinthe… Pour la première fois, j'ai pris mon père dans mes bras et je me suis effondrée. Je crois qu'il s'est inquiété. J'avais laissé échapper un tas de sentiments refoulés qui se déversaient pudiquement sur son maigre torse. Il m'a tapé dans le dos. Il y a des moments inattendus dans la vie qui vous font littéralement perdre l'équilibre.

Depuis peu, à cause de sa douleur à la jambe, mon père avait besoin d'une béquille. Au moment même où il a eu besoin de cette béquille, il a décidé qu'il devait se remarier, à un âge où on se fiche de la passion. La vraie raison de ces travaux dans l'appartement avait un nom, et ce nom, c'était Zelgoum.

C'est vrai, au début, ça m'a fait sourire, on aurait dit le nom d'un elfe d'une forêt maléfique dans un jeu vidéo. En réalité, c'est un prénom féminin kabyle traditionnel. Zelgoum était la fille d'un ancien prestataire qui travaillait pour mon père à l'époque où c'était le king du bâtiment et qu'il faisait tourner plusieurs chantiers en même temps. Elle avait 40 ans, n'avait jamais été mariée et n'avait pas eu d'enfant. Zelgoum n'était à Paris que depuis quelques mois, avant ça, elle vivait dans un village en petite Kabylie, région qui, comme aimait le dire mon père, avait pour devise *Plutôt rompre que plier*. J'espérais que Zelgoum avait la témérité qu'on reconnaît à sa tribu, pour accepter de vivre avec mon père. Peut-être aussi que ça l'arrangeait bien, qu'elle était laide et boulotte et qu'en Kabylie une fille de 40 ans célibataire ne donne même pas son âge, ou alors en années chat pour s'épargner d'inévitables humiliations.

À 57 ans, avec ses quintes de toux, son nerf sciatique, sa solitude qu'il trompait comme il pouvait, égayée de temps à autre par nos visites à Lila et moi, mon père s'était probablement dit qu'il lui fallait sortir du brouillard de sa fumée de cigarette roulée pour entamer la dernière ligne droite. Et tout comme sa béquille, une femme sur laquelle il pourrait s'appuyer pour ses vieux jours, ce n'était pas une mauvaise idée.

J'ai repensé à mémé qui jurait à ma mère qu'un jour papa finirait avec une « fille de sa montagne ». Elle ne s'était pas trompée, ma pauvre mémé avait du pif, du nif même, si j'ose dire, et je sais que ça ne lui plairait pas beaucoup.

Mon père a pris la première date disponible sur le calendrier de la mairie de Malakoff, pas de symbole ni de romantisme cette fois-ci. Une simple formalité.

Je lui avais choisi un beau costume gris fer, bien coupé, que j'avais vu en vitrine d'une boutique du Sentier, rue d'Aboukir. Il lui donnait l'air d'un professeur d'économie. Il s'était rasé, et son visage anguleux avait semblé un peu plus jeune.

Ce ne serait pas une grande affaire, une vingtaine de personnes au plus, et un petit repas modeste dans un café-restaurant : le Djurdjura.

J'avais compris que papa et Zelgoum ne se fréquentaient pas. Ils avaient au mieux échangé quelques mots au téléphone. L'arrangement s'était fait directement avec son père, à l'ancienne, dans le plus strict respect des traditions.

C'est cocasse quand on pense qu'il venait chercher ma mère à mobylette à l'aube et qu'elle passait par la fenêtre pour s'enfuir avec lui. Ils avaient 20 ans et se faisaient la belle, fraudaient le train pour déjeuner à Deauville et, après une sieste sur la plage, rentraient à Paris s'embrasser sous les étoiles.

« C'est pas la peine d'en parler à ta mère. Je lui dirai moi-même. »

Il craignait de la blesser. Encore seize ans après leur séparation. Chaque fois qu'il avait une quelconque forme de délicatesse envers elle, se réveillait en moi un espoir inavoué, une vieille chimère, l'idée d'un amour pas tout à fait mort, d'une flamme pas complètement éteinte. Après tout, peut-être que l'amour dure toujours, *d'une manière ou d'une autre*.

« Papa, ça va ! Tu fais ce que tu veux de ta vie.

– Elle va se vexer qu'on lui dise rien. Tu verras qu'elle va te faire la gueule, je la connais.

– Oui, bah ce sera pas nouveau, elle a toujours une bonne raison de me faire la gueule. Là, en ce moment, d'après elle, elle voit pas assez la petite.

– T'as qu'à lui amener plus souvent, elle sera contente.

– C'est elle qui a toujours un truc à faire. Elle a un agenda de ministre. »

Contrairement à mon père, maman avait la cinquantaine dynamique. Avec ses économies, elle avait décidé d'ouvrir une onglerie, et ça marchait du tonnerre. Elle s'était inscrite à des cours de zumba et apprenait l'italien en ligne en vue de visiter Rome. (C'était son rêve, de voir le Colisée.)

J'étais persuadée que ça ne lui ferait ni chaud ni froid de savoir que papa refaisait sa vie avec une autre.

Zelgoum est arrivée dans le restaurant avec des tantes et des amies, elle m'a souri timidement. Elle n'était ni laide ni boulotte. Simplement, elle avait cet air naïf que peuvent avoir les étrangers tout juste avant de déchanter. Elle avait quelque chose de touchant, de fragile, qui contrastait avec le côté brusque de mon père. Une femme rousse assise près de moi à table, un peu cruche mais pas antipathique, m'a soufflé à l'oreille : « Elle est mal à l'aise, ça se voit. La pauvre, à 40 ans, elle est encore vierge. »

Moi, je savais que papa ne lui ferait pas de mal. Zelgoum avait une sacrée veine de tomber sur un homme comme lui. Il ne la réduirait pas à néant. Il la protégerait. Il n'essaierait pas d'en faire un être inférieur non plus. Il ne voudrait pas la dominer. Il la respecterait et il ne lui promettrait pas la lune. Modestement, il voudrait juste qu'elle *soit bien*.

27 ANS

*

« L'ÉVEIL »

Si on m'avait dit un jour que je serais à quatre pattes au centre d'une pièce en train d'imiter l'agneau et que ça me procurerait de la joie, je n'y aurais pas cru. Mon sens du ridicule est mort le jour de notre inscription à « Éveil musical parent/enfant ». Lila adorait participer à leurs activités et moi aussi, je suis obligée de l'avouer.

Il y avait tellement longtemps que je n'avais pas joué. Simplement jouer, sans me préoccuper de rien, sans me soucier du monde.

Je m'amusais. Je riais de bon cœur. Le temps d'une heure, deux matins par semaine, je retrouvais un peu d'innocence.

Nous fabriquions des maracas, chantions des comptines (dont je faisais semblant d'ignorer l'interprétation pédophile), nous faisions des jeux, des rondes et de la peinture avec les doigts.

Un jeudi matin, c'était en octobre, et il faisait humide. Tiphanie, l'animatrice de l'atelier musical, débutait la séance, comme chaque semaine, par la même chanson :

Par la fenêtre ouverte, bonjour, bonjour
Par la fenêtre ouverte, bonjour le jour...

Et là, à tour de rôle, enfants et parents donnaient leur prénom, tout le monde répondait en chanson dans un enthousiasme collégial.

« Je m'a-ppelle Zou-zou... *Bonjoooooouuuur Zouzou !* »

Ça ressemblait à une réunion de très jeunes alcooliques anonymes.

J'observais les parents, il y avait beaucoup de mères, comme moi, certaines avaient d'autres enfants qui allaient déjà à l'école. Il y avait aussi quelques grands-mères. Des pères venaient parfois, de manière occasionnelle. Mais c'étaient beaucoup de mères. Plusieurs d'entre elles, à ce que j'avais compris, élevaient leurs gosses toutes seules.

Pourquoi dit-on « familles monoparentales » ? C'est n'importe quoi. Une famille, c'est une famille. Soit il y a les deux parents ensemble, en train de s'aimer et d'élever des enfants, soit il faut trouver autre chose. Il faut réfléchir aux mots.

Lila soufflait dans un harmonica dégoulinant de salive, tandis que j'essayais d'effacer ma vision d'une bande de microbes en tout genre mettant à plat les anticorps de ma fille.

Une des mères allaitait son enfant, toute poitrine dehors. Elle avait un énorme sein, sur lequel s'étalait un large téton rose et impudique. C'était la première fois que je voyais un bébé téter debout. N'est-ce pas le signe qu'il est temps d'arrêter ? En tout cas, ça n'avait l'air de gêner personne.

À la fin de la séance, alors que j'enfonçais son bonnet rose sur la tête de Lila, j'ai senti une main délicate se poser sur mon épaule.

Une des mamans, Sokona, la trentaine, me souriait. Ses immenses créoles se balançaient d'avant en arrière, elle portait un jean slim, des Air Jordan Retro, et son bébé au dos, bien soutenu par un pagne en wax. Un mélange de moderne et de traditionnel qui me plaisait bien.

« Je me demandais si vous étiez libre après... Ça vous dirait de prendre un thé à la maison ? J'habite juste au-dessus. Les enfants pourraient jouer ensemble pendant qu'on bavarde... Je suis là depuis quelques mois, je viens du Sud et je connais encore personne ici... Comme vous avez l'air sympa, je me demandais... »

Sokona avait quitté son mari l'été précédent. Il était d'accord pour divorcer si elle payait les avocats. Il voulait bien lui céder la garde de leur fils si elle ne lui demandait pas de pension. Il avait une maîtresse qu'il entretenait pendant que Sokona, elle, payait les factures, s'occupait du bébé et des courses. Un jour, c'était devenu trop urgent, elle avait décidé d'offrir mieux à Idriss. Il fallait rester une femme, garder sa dignité, trouver la force de tout quitter. Ce ne serait *ni la première, ni la dernière à faire ça, des femmes qui le font, y en a tous les jours.*

« J'hésitais à briser ma famille, c'est quand même hyper-dur à porter. Mon ex, tu sais, c'était un spécimen, il me faisait vivre un enfer, mais il m'a laissé la responsabilité de la décision. C'est dégueulasse, c'est lâche hein, pour pouvoir dire "c'est ta faute, c'est toi qui as voulu divorcer, c'est toi qui as privé ton fils de son père". Et franchement, ça marchait, au début je me sentais coupable de ça. Je me disais, je vais punir mon gamin, à cause de moi, il va souffrir de l'absence de son père. Et puis, un jour, j'ai réalisé… Je préfère qu'il souffre de son absence que de sa présence. Voilà. C'est tout. »

Elle m'a dit tout ça en préparant un thé à la mauritanienne, Sokona souriait, riait parfois, presque comme si elle racontait l'histoire de quelqu'un d'autre. Elle répétait : « Ils sont cons les hommes. Ils sont trop cons. »

Alors on peut tout recommencer ? On a le droit de sourire de ces choses-là ? On peut les raconter aussi ? Se tromper ? Arrêter de se détester ?

Souffrir de son absence plutôt que de sa présence.

Sokona, sans le savoir, venait de me faire goûter un thé merveilleux.

28 ANS

***

« LA BALLE, SI ELLE RETENTIT, JAMAIS NE REVIENDRA AU FUSIL »

Ce jour-là, Eddy se disputait encore au téléphone avec son agent, Pascal Boukhobza. Il lui hurlait dessus en faisant les cent pas dans le couloir et n'arrêtait pas de répéter : « Tu te fous de moi Boubou ?! T'essaies de m'enculer, hein ? Tu te fous de ma gueule ?! ! »

Je ne voulais même pas savoir de quoi il s'agissait. Probablement la négociation d'un contrat, ou un rôle qui lui filait sous le nez. Il était, de toute façon, dans un état de nerfs constant. Ça devenait habituel.

Rien ne le faisait redescendre, même pas sa fille de 3 ans, tétanisée au point de se boucher les oreilles.

« J'aime pas quand papa il crie. Ça me fait peur. »

Elle n'avait pas pu finir sa purée, cette énième crise lui avait coupé l'appétit.

« T'inquiète pas mon bébé. C'est bientôt fini. »

J'ai pris ma fille dans mes bras et j'ai plongé le visage dans ses boucles brunes pour respirer l'odeur de ses cheveux, tandis que je sentais sous le velours de son pyjama son petit corps crispé se recroqueviller tout contre moi. Je ne saurais pas dire laquelle de nous deux avait le plus besoin d'être rassurée, laquelle de nous deux avait le plus besoin d'entendre : « T'inquiète pas mon bébé, c'est bientôt fini. »

Pour le peu de temps qu'il était là, il arrivait quand même à tout saccager, à ruiner la douceur qui existait.

Quelques jours plus tard, les choses n'allaient pas mieux. Alors que Lila faisait une sieste dans la chambre, j'ai aperçu un message s'afficher sur son écran. Eddy a été vif. D'un geste, il a récupéré le téléphone posé sur la table basse et l'a fourré dans sa poche. Il n'avait pas été vigilant. Pas cette fois-là. Pas suffisamment. Il a écrasé son mégot nerveusement dans un cendrier à l'effigie de Che Guevara. (Je détestais qu'il fume dans le salon. Je lui avais demandé de ne pas le faire, j'avais demandé ça des millions de fois.)

Malgré la rapidité de l'action, la précision du geste, malgré son habileté à faire diversion, malgré les lettres du message qui s'étaient vite brouillées, j'avais eu le temps de déchiffrer : « bébé, la quitter, mon cœur, bisous, ensemble, manques ». Peut-être que ce n'était pas dans cet ordre-là. C'était le désordre de toute façon. Dans mon corps, dans mon esprit, il avait foutu le bordel. Eddy avait fait de ma vie un vrai chantier. Un chantier abandonné en cours de route, qu'un architecte et ses ouvriers, peu scrupuleux, avaient déserté depuis longtemps.

Au commencement, tout était pourtant là : un plan ambitieux, du bon matériel, des outils performants et un emplacement prometteur.

On pouvait encore deviner l'engagement d'une belle construction, solide, inébranlable.

« C'est quoi ce message ?

– Pourquoi tu regardes ?

– Tu crois vraiment que j'suis bête ?!

– Me casse pas les couilles, c'est pas le moment !

– Tu me prends pour la dernière des connes hein ?!

– Commence pas !

– Je viens de lire le message ; c'est qui ça encore ?!

– Ferme-la je te dis ! C'est rien du tout.

– Tu me parles pas comme ça !

– Je suis là depuis deux jours et tu me casses déjà les couilles putain !

– Bah t'as qu'à te barrer ! J'en ai marre ! J'en peux plus !

– Et ça y est, tu vas encore chialer putain. Je te dis qu'y a rien ! T'es hystérique !

– Elle a raison Carmen, je sais pas ce que je fous avec toi, t'es qu'un fils de pute… »

Je le savais bien, *c'était la pire insulte à ses yeux*. Et il n'allait pas tarder à répliquer. Il m'a envoyé une gifle d'une violence inouïe. Je me rappelle que la moitié de ma figure était comme paralysée. J'étais tellement sonnée que j'ai vu les étoiles ; une véritable constellation ; un truc entre la Grande Ourse et Cassiopée.

La gifle m'a fait l'effet d'un coup de feu. Il aurait pu me tirer une balle de carabine en pleine tête, ç'aurait été exactement pareil.

Ça avait été si brutal que je ne m'étais pas aperçue tout de suite que mon nez saignait, ma vision s'était troublée. Quelque chose comme un demi-litre de sang était en train de se répandre sur mon pull et mon pantalon.

Je l'ai regardé droit dans les yeux. Et son regard, quand j'y repense encore maintenant, j'en ai la gerbe.

Immédiatement après, il a fui. En quittant l'appartement, il a claqué la porte avec la rage d'un ogre adultère, ça a réveillé Lila en pleurs. Je me suis vite essuyé le visage avec une feuille de papier ultra-absorbant qu'on achetait par lot de 18 chez Carrefour. J'avais chaud. Je trottais dans le couloir. Une boule dans la gorge dont je n'arrivais pas à me débarrasser m'empêchait de respirer normalement.

« J'arrive ma chérie ! Maman est là ! Je viens tout de suite ! »

J'ai eu l'impression que mon cœur allait lâcher. Mes jambes tremblaient encore. Je me suis précipitée vers la chambre de ma fille, oubliant que le sang sur mes vêtements était encore frais.

« Maman, t'as fait de la peinture ? »

Ma fille, le tableau dans lequel on se trouve en ce moment ne mériterait pas qu'on l'accroche au mur. Alors, avec maman, on va changer de décor, on va mettre de la couleur, on va prendre l'air. Il y a d'autres choses qui se dessinent pour nous quelque part devant, de plus belles choses.

***

« THE WINNER TAKES IT ALL »

(Si, un jour, je rencontre Björn Ulvaeus et Benny Andersson, je les remercierai d'avoir écrit la bande originale de ma vie.)

« I don't wanna talk
Je ne veux pas parler
About the things we've gone through
De ce par quoi nous sommes passés
Though it's hurting me
Bien que ça me blesse
Now it's history
C'est désormais de l'histoire ancienne
I've played all my cards
J'ai joué toutes mes cartes
And that's what you've done too
Et c'est ce que tu as fait également
Nothing more to say
Rien à ajouter
No more ace to play
Plus d'as à jouer

The winner takes it all
Le gagnant remporte tout
The loser standing small
La perdante se fait toute petite
Beside the victory
À côté de la victoire
That's her destiny
C'est sa destinée

I was in your arms
J'étais dans tes bras
Thinking I belonged there
Pensant que c'était ma place
I figured it made sense
J'ai trouvé normal
Building me a fence
De me construire une barrière
Building me a home
De me construire un foyer
Thinking I'd be strong there
Pensant qu'à cet endroit je serais forte
But I was a fool
Mais j'ai été stupide
Playing by the rules
De suivre les règles du jeu »

Benny et Bjorn ont raison. J'ai joué toutes mes cartes.

La partie est finie.

Partie II

LE PRÉSENT
(est un cadeau)

30 ANS

***

« FAIRE DES CHOIX »

Il avait fallu se montrer courageuse.

Il avait fallu abandonner beaucoup de choses, renoncer à des rêves idiots.

Il avait fallu se sauver.

Ma mère avait deviné que le moment était venu.

Elle m'a serrée dans ses bras longuement.

« Pourquoi tu m'as rien dit ?

– J'ai pas réussi maman

– C'est pas grave. T'inquiète pas mon bébé. C'est fini. »

Carmen, quant à elle, a fait ce qu'elle sait faire de mieux : m'aider à ne pas avoir peur.

« Crois-moi, t'as fait le plus dur. C'est plus facile de rebondir que d'atterrir ! »

Elle savait de quoi elle parlait.

Et puis elle a ajouté : « Zouzou, viens on arrête de se faire du mal. »

30 ANS

***

« ALTÉRATION DÉFINITIVE DU LIEN CONJUGAL »

Ce qui est bien avec la poésie, c'est qu'il y en a partout, il y en a tout le temps.

On en trouve même dans la crasse. Même dans un terme juridique froid.

Altération définitive du lien conjugal.

J'ai retrouvé une copie de jugement de divorce de mes parents en faisant du tri, ce qui m'a renvoyée près de vingt ans en arrière. Quelle claque. J'avais déjà au compteur plus de vingt ans de bons et mauvais souvenirs.

La vie, après tout, ce n'est que ça : une addition de bons et de mauvais souvenirs.

31 ANS

***

« A VAVA INOUVA »

L'arrivée de Zelgoum nous avait redonné l'allure d'une vraie famille. Finalement, nous avions résisté aux éclatements successifs que la vie nous avait imposés ces dernières années.

Tous les dimanches midi, ma belle-mère préparait un couscous aux fèves.

Elle cuisinait bien et me notait parfois les recettes sur le dos d'une enveloppe, de son écriture malhabile.

Lila goûtait de ce délicieux couscous avec nous, au moins un week-end sur deux.

Je revois encore maman à la fenêtre, dans son peignoir rose, fin des années 90. Elle me fait bye bye en souriant, ensuite, elle referme le rideau, brusquement.

C'était au tout début, les premières fois, juste après le divorce.

Aujourd'hui, je sais exactement ce qu'il se passait pour ma mère derrière le rideau. Je comprends enfin ce que ça fait.

On ne s'habitue jamais à ça.

J'aurais aimé qu'Eddy sorte de ma vie, comme il y était entré, aussi vite, aussi brutalement, et sans demander son reste. Et puis, je pense à ma fille, à mon père, au droit de ma fille de connaître le sien, même de manière compartimentée, même de temps en temps, même s'il ne connaît pas bien ses goûts, ni sa taille de vêtements, ni les paroles de ses chansons préférées.

Au début, quand il venait chercher Lila, j'avais les boyaux qui se tordaient, je les regardais s'éloigner tous les deux par la fenêtre du salon et, la tronche mouillée, je ravalais le sel de mes larmes en même temps que mon chagrin.

C'était une punition injuste. Je l'avais quitté, mais il m'y avait poussé avec tant d'ardeur. Ce n'était pas faute d'avoir fermé les yeux, d'avoir résisté. Voilà pourquoi j'ai eu longtemps le sentiment d'avoir *subi* cette séparation.

Lui, je ne l'aimais plus.

Mais j'aimais tant ce rêve d'avoir une famille.

J'aimais tant l'idée de donner des frères et sœurs à ma fille. J'avais tellement peur qu'une fois de plus on dissocie papa ET maman.

Je me réconcilie à présent avec l'idée que le divorce n'est pas *la fin*. Il conclut simplement une histoire qui se brise depuis longtemps déjà.

Il faut simplement se faire à ces images. Celle d'Eddy prenant ma fille par la main et l'amenant jusqu'à cette voiture, qui fut la « nôtre » à une époque, une Fiat blanche. Le front collé à la vitre, je devinais à peine la silhouette côté passager, un bras ou une épaule de femme.

Le dimanche soir, je ne posais aucune question à Lila, même si ça me rongeait quelquefois. Je devais absolument la laisser en dehors des rancunes d'adultes.

Il faut que Lila ait le droit d'être une enfant dans toute la splendeur de son innocence.

Carmen dit tout le temps : « L'important, c'est elle. Si elle va bien, c'est que ça va. » Elle dit aussi : « T'en fais pas, si y a le moindre problème, je les emmure, lui et sa bitch ! »

Qu'est-ce qui était le mieux après tout ?

Qu'il m'arrache ma fille une fois de temps en temps pour la mettre dans son illusion de famille reconstituée ? Ou qu'elle l'attende des journées entières, pour finalement renoncer, constatant tristement que le soleil se couche et que non, *papa ne viendra pas* ?

Il arrive encore qu'au téléphone, exaspérée de lui sauver la peau, ne supportant plus la mine déçue de ma fille, j'explose, dans un flot de jurons.

Lui rappeler les évidences, les horaires, devoir se disputer pour la pension alimentaire, et surtout pour les lapins qu'il pose à Lila certains week-ends, ça me donne parfois le sentiment de ne pas l'avoir quitté tout à fait et c'est insupportable.

(Les lapins, on pourrait en faire un élevage.)

Lila se plaisait chez mon père, elle passait son temps à faire le clown pour amuser la galerie et répétait des blagues de bistrot qu'elle avait entendues de son papi. (Qui niait tout en bloc évidemment.)

Peut-être qu'elle m'avait vue pleurer beaucoup et qu'elle s'était donné pour mission de me consoler et de consoler le monde, de propager la joie et le rire autant que possible. *À force, ça finirait par dissiper la peine. Il n'en resterait plus nulle part.*

Lila était une petite fille maligne, vive, elle pigeait instantanément tous les enjeux.

« Maman ! Tatie Zelgoum, elle a un bébé dans le ventre ? »

Ça se voyait tellement que les tuniques amples et les robes kabyles de ma belle-mère ne parvenaient plus à cacher ses rondeurs.

J'avais répondu discrètement pour ne pas les embarrasser, ni elle, ni mon père.

Il y a des choses dont on ne parle pas. Il y a de la pudeur.

Papa a allumé la télévision et le magnétoscope. Il fait partie de la poignée de gens qui ont encore un magnétoscope. Dans le temps, lorsque les bandes de ses vieilles cassettes s'emmêlaient, je m'amusais à me les mettre sur la tête, j'en laissais traîner certaines et je jouais à *la mariée avec son voile.*

« Regarde ça, tu vas voir... »

Il a introduit lentement une cassette dans le lecteur, et, alors que la bande sautait déjà un peu et que le son grésillait, l'image aux couleurs saturées est apparue. Papa a pris un air satisfait.

Idir, un immense chanteur et parolier kabyle, avec sa guitare collée tout contre lui, s'asseyait sur un tabouret, c'était pour une émission sur la chaîne nationale algérienne. Physiquement, à l'époque, il ressemblait à Woody Allen version amazigh.

Son premier tube, « A Vava Inouva » est devenu culte.

Je peux même dire qu'*après Abba, il y a Idir.* Et c'est pas rien.

Des tas de souvenirs revenaient comme par magie.

Moi, petite fille, sur les genoux rocheux de papa, devant la télévision, il fredonnait en soufflant la fumée de sa Gauloise sans filtre, les paquets étaient bleus et l'enregistrement datait de 1994.

Zelgoum, tandis qu'elle mettait la table : « Il le fait exprès. Il sait que ça me rend mélancolique. Akli, enlève ça, je vais pleurer encore. Dejà qu'en ce moment je pleure pour un oui ou pour un non. »

« Ouvre moi la porte, je t'en prie, oh petit papa, oh petit papa
Fais donc tinter tes bracelets, oh ma fille Ghriba
Je crains l'ogre de la fôret, oh petit papa, oh petit papa
Je le crains aussi, oh ma fille Ghriba. »

Idir, on peut considérer qu'il est de la famille, une sorte de tonton poète.

Maman me faisait encore la tête. Elle me reprochait de passer tout mon temps chez mon père.

La vérité, c'est que je passais beaucoup plus de temps avec elle qu'avec n'importe qui d'autre. Comme dirait papa : *Jamais contente*. Il y a des choses qui ne changent pas.

J'allais déjeuner avec elle dans des endroits branchés où l'on paie 25 euros pour manger des graines et de l'herbe dans une assiette Ikea. Je l'accompagnais voir des films espagnols en version originale sous-titrée au MK2 Bibliothèque.

Et surtout, depuis quelques semaines, je travaillais à l'onglerie, je m'occupais de la gestion avec elle, mais tout ça ne lui suffisait pas. Chaque fois que je la quittais, elle avait la même réplique : « Tu t'en vas déjà ? »

Je crois que maman se sentait seule au fond, malgré le mal qu'elle se donnait pour ne rien laisser paraître.

Comme je m'en doutais, comme tout le monde s'en doutait, elle avait eu du mal à admettre le remariage de papa. Et encore plus, à admettre qu'il avait changé, qu'il était différent de celui qu'elle avait connu, plus de trente ans auparavant.

« Alors, à son âge, il va être papa ! Mais tu te rends compte ! Tu vas avoir un petit frère plus jeune que ta fille ! Mais on va où là ? Hein ? On va où ? Franchement, c'est ridicule... »

Je la laissais dire.

« Et sa femme, elle parle français au moins ? C'est pour les papiers, je parie. Quelle idée de se marier avec ton père... »

Il y a certaines choses qui ne changent pas.

32 ANS

***

« À LA NUIT SUCCÈDE LE JOUR »

Carmen ne prend plus d'anxiolytiques. Elle s'en tient désormais à ses somnifères, de temps à autre.

Elle fait toujours la même blague en me montrant, sur sa boîte de Stilnox, *alerte niveau 3*, en rouge, avec le symbole d'une voiture au-dessus de la recommandation : « *NE PAS CONDUIRE. Pour la reprise de la conduite, demandez l'avis d'un médecin.* »

« T'as vu ? Même eux, ils savent ce que ça fait quand je conduis ! »

La toute dernière fois que Carmen a touché un volant, elle a tué quelqu'un et c'était le 11 août 2003. Cette date est inscrite sur son poignet de façon permanente. Et cet événement l'a fait dévier de sa trajectoire. Elle s'est perdue en chemin.

Je ne peux m'empêcher de me demander en la regardant ce qu'elle serait devenue *si ça n'était pas arrivé.* En détaillant son visage, ses paupières lourdes, sa peau laiteuse, les taches de rousseur qui parsèment ses joues rebondies, je m'interroge.

Est-ce que ce corps qu'elle maltraite avait autre chose à vivre ? Son regard, gris comme la lune, serait-il devenu aussi triste ?

Est-ce que moi, je me remettrai un jour de ne pas l'avoir sauvée ? Est-ce qu'on arrêtera de se torturer avec toutes ces questions ?

Que fera-t-on de cette culpabilité partagée Carmen et moi ?

Parce que je trouve que ça en fait beaucoup pour nous deux.

Un jour, tout deviendra clair.

Il s'est passé quatorze ans.

Et pendant ce paquet d'années, il faut bien le reconnaître, on a été terriblement inventives pour se punir.

Tout ce qu'il reste à faire, c'est attendre, parce que, depuis la création du monde, on sait qu'*à la nuit succède le jour*. C'est évident. C'est sous nos yeux. Indubitablement, après la pénombre, même lorsqu'elle n'en finit plus, l'aube pointe le bout de son nez.

32 ANS

***

« AIME-TOI, LE CIEL T'AIMERA »

C'était le mois de septembre, Lila faisait son entrée en CE1.

Bien coiffée, tout élégante qu'elle était dans sa robe couleur parme et ses chaussures vernies, elle marchait plus vite que moi par hâte de retrouver ses amis bobos : « J'espère que Madeleine, Louise et Edgar, ils seront dans ma classe. »

(Les prénoms ! Sérieusement ? C'est quoi le délire ? La rentrée de septembre 1901 ?)

Lila n'avait plus tant besoin de moi, ni pour porter sa cuillère à la bouche, ni pour lacer ses chaussures ou se brosser les dents, ni même pour lire.

En observant les autres mamans devant la grille ce matin-là, j'ai enfin compris que c'était *moi*. La maman de Louise, celle d'Edgar ou de Madeleine affichaient un air serein. J'étais probablement la seule à avoir l'impression d'abandonner son enfant, je cherchais désespérément à la retenir. Je ne pouvais pas m'en empêcher. Je m'y agrippais. *Un dernier bisou. Fais attention à toi. Sois prudente dans les escaliers. Je t'aime, hein mon bébé. Ça va ton cartable ? Il est pas trop lourd ?*

Je m'étais tellement persuadée que ma fille était fragile, à cause de tout ce qu'on avait vécu, à cause des larmes, à cause de son père qui n'avait pas passé un coup de fil depuis des semaines, j'étais convaincue que ma petite fille souffrait, qu'elle était malheureuse et sans doute qu'elle le cachait bien. Je le croyais fermement, jusqu'à ce matin-là.

« Arrête de t'inquiéter maman ! »

Difficile de l'expliquer, mais ça a été si évident tout à coup. Ça m'a explosé à la figure que c'était *moi,* moi avec toutes mes projections, toutes mes peurs, toute mon angoisse. C'était devenu clair, soudain, que c'était *le mien, de cartable, qui pesait une tonne*. Maintenant, il allait falloir tout décharger.

Bousculée par cette fraîche révélation, j'ai pris le métro, sans frauder, car je n'enfreins jamais les règles. Ce n'est pas par manque de courage, mais plutôt par paresse de me révolter. *Parce qu'à 2 euros le ticket, il y aurait de quoi.*

J'avais seulement cinq arrêts pour arriver chez Carmen, et j'empruntais ce trajet très régulièrement. Je connaissais par cœur les couloirs tapissés d'affiches grossières de théâtre de boulevard, l'odeur des wagons, et certains visages : même les courants d'air à la sortie du métro Convention m'étaient familiers.

Il y avait aussi ce fou qui n'avait pas de nom, certainement qu'on ne le lui avait jamais demandé non plus. Il était facile à distinguer à cause de ses longs sourcils gris qui lui tombaient sur les yeux et surtout de son morceau d'oreille coupée. Dans le coin, les gens disaient Van Gogh pour parler de lui. Il était toujours contrarié, *sans raison*, comme lui, comme il l'était. Il hurlait des insanités de sa voix éraillée et finissait toutes ses phrases en marmonnant quelque chose d'incompréhensible qui laissait penser qu'il se mettait à parler une autre langue, ensuite il essuyait la morve qui collait irrémédiablement ses poils de barbe entre eux.

Van Gogh, chaque jour que Dieu fait, transportait avec lui sa colère, une canette de bière tiède, son grand pardessus kaki imprégné de l'odeur de sa pisse et une flûte à bec, qui lui servait à faire du bruit et à se défendre quand on venait l'emmerder.

Ce matin-là, il était monté à l'arrêt Falguière, et certains dans le wagon, les gens qui ne sont pas habitués, au début, n'avaient pas osé se boucher le nez. Ça arrive tout le temps, je les reconnais ceux-là, je les vois détourner leurs yeux coupables et baisser la tête, pour finalement se pincer les narines discrètement. Je les remarque tout de suite, je vois comme ils se sentent cons, comme ils ont honte. Ils pensent évidemment à changer de rame à la prochaine et se détestent d'avoir envie de faire ça, mais, en même temps, ils grimacent, ils se posent encore la question de *comment on attrape le sida*, *et la lèpre, ça existe toujours ? Il a sûrement des poux, j'espère qu'il ne viendra pas trop près.* Ces gens-là, très vite, ils se sentent envahis, *entre les réfugiés soudanais qui pullulent à Paris avec leur épidémie de gale et les SDF pleins les métros, on n'est plus tranquilles, voilà, ça leur apprendra à laisser la voiture au garage pour faire quelques économies d'essence, à cause de la hausse du prix du carburant. En même temps, ça leur évite quand même les Syriens à chaque feu rouge, ils sont agaçants à la fin, et cette manie qu'ils ont de nous foutre leur passeport sous le nez, on n'est pas la douane non plus, pourquoi ils font ça ? Ils veulent prouver quoi ? C'est sûrement pour se démarquer des Roms qui leur usurpent leur identité pour mendier, ils n'ont plus le monopole, loin de là, parce qu'ils l'ont bien compris ça les Roms, qu'ils n'attendrissaient plus personne, mais de qui se moque-t-on ? On n'est pas dupes. Au fond, Syriens, Soudanais ou Roms, on s'en fout, après tout quelle différence ça fait ?*

Oui, ils ont tout ça en tête, ces pensées se bousculent, s'alimentent, se contredisent, s'annulent entre elles, tout ce mouvement existe aussi dans l'esprit d'un con, c'est comme un ballet. Étrangement, de ce wagon, de cette rencontre fortuite avec un clochard de la ligne 12, ils en ressortiront avec une espèce de gloire, une fierté, le sentiment d'avoir été au cœur des choses, d'avoir observé la société au plus près, le temps d'un trajet en métro. Forcément, ils se sentiront autorisés à donner leur avis. Une opinion de con, ça se partage. Ils y pensent déjà, ils en parleront après une bonne douche chaude, à table, en famille, en mangeant bruyamment, la bouche pleine de jambon acheté en promotion chez Auchan.

Ils se collent à leur siège, *tout de même, c'est insoutenable, cette odeur, elle s'accroche sûrement aux vêtements, ça ne s'en ira plus jamais, c'est sûr, c'est une calamité.* Ils ont peur que la crasse du fou les suive jusque dans leur vie, jusqu'au hall de l'immeuble, jusqu'en réunion, qu'elle se colle à leur veste, ou pire, à leur écharpe en cachemire.

Les gens ont la trouille, ils craignent que la misère les poursuive.

Quant au fou, il inonde le wagon nonchalamment. Souvent, il choisit quelqu'un de manière arbitraire, et il le pointe du doigt, ensuite il prononce un monologue sans queue ni tête, comme une sentence tellement absurde qu'étonnamment elle prend du sens, *celui qu'on voudra bien lui donner.*

Van Gogh vous balance sa philosophie de laissé-pour-compte en pleine tronche, en bavant, et en vous postillonnant à la figure.

Ce matin-là, il m'a fixée, en soufflant, exaspéré : « Pffff. Qu'elle est bête ! Tu vas arrêter ça oui ! Tu vas arrêter d'te tortiller comme ça dans ta vie ? On dirait une vieille momie coincée dans son sarcophage. Tiens, tu sais ce que j'leur fais moi aux Égyptiens, voilà ! » (Il a levé le majeur en l'air.)

Il s'est passé un temps. Van Gogh a regardé au sol, comme s'il voyait un serpent ramper entre ses jambes et qu'il essayait de l'éviter. Il a repris, plus énervé encore : « Putain, tu me fous le cafard, j'te cracherais bien à la gueule, mais j'peux pas… j'ai soif. T'attends quoi ? Qu'on t'aime ?! Qu'on te dise la vérité ? T'es une romantique toi. Ha ! Tu me fais marrer ! T'as oublié ce qu'ils ont fait à Bérégovoy ? C'est pas des tendres ces enfoirés. Politicards de mes deux… Alors arrête d'attendre qu'on t'aime ou j'sais pas quelle connerie. *Aime toi toi-même, le ciel t'aimera…* Bah quoi ? T'as jamais lu la Bible ? Pourquoi tu me regardes comme ça avec tes yeux de bécasse ? Tu veux ma photo ou merde ? »

Tout le monde s'était arrêté de respirer dans le wagon pendant le numéro de cet orateur hors du commun, aussi grossier que talentueux.

Bien sûr, on était loin de la comédie de boulevard des théâtres parisiens, qui se colle sur les murs des couloirs de métro, affiche ringarde après affiche ringarde, on en était même très loin. Là, c'était du monologue ou je ne m'y connais pas, du vrai spectacle vivant. (Non subventionné par le ministère de la Culture.)

Van Gogh, comme surnom, on ne pouvait pas mieux faire, outre son morceau d'oreille cassée, il avait tout d'un peintre qui vous tire le portrait, à l'instinct, avec toute sa gouaille, toute son ivresse et toute son illumination. Il s'est éloigné de moi en marmonnant, et on est descendus tous les deux à la station Montparnasse, l'air de rien, moi et mes yeux de bécasse, lui et sa flûte, dans laquelle il soufflait comme une furie, les gens s'écartaient spontanément sur son passage, ce qui donnait l'impression qu'on lui faisait une haie d'honneur.

Malgré l'odeur, même dans la crasse, dans la misère, il y a toujours de la place pour la poésie.

Mal fagotée dans mon legging trop moulant, mon sweat à capuche, et équipée de mes running hors de prix, je suis passée chercher Carmen pour aller faire de l'exercice. Comme beaucoup de gens, on s'était laissé tenter par l'offre choc d'une salle de fitness, le prix était imbattable : 9,99* euros par mois, *les trois premiers mois. Le sport est redevenu une mode.

J'avais besoin de me vider la tête, quant à Carmen, son poids devenait handicapant. À moins de 35 ans, elle avait des problèmes de dos et mal au genou. Ça devenait urgent qu'elle se reprenne en main.

Elle est apparue dans un survêtement Adidas bleu marine, avec les cheveux relevés en chignon.

« En dessous de mes kilos, on devine que je pourrais être bonne, nan ?

– Grave bonne.

– Merci.

– Tu sais ce qu'on m'a dit aujourd'hui ? *Aime-toi, le ciel t'aimera.*

– T'as parlé à qui ? À ma mère ? C'est tout à fait le genre de conneries qu'elle peut dire... Genre *Tendez l'autre joue, charité bien ordonnée commence par soi-même...*

– *Un tien vaut mieux que deux tu l'auras !*

– *Pierre qui roule n'amasse pas mousse !*

– *Mais où est donc ornicar ?*

– *Ha ! N'importe quoi !* »

La voir se marrer, enfin.

« Tu vas voir, quand je vais perdre du poids, je rigolerai plus souvent. Là, si je rigole pas beaucoup, c'est pas la dépression, hein, c'est que ça m'essouffle. »

Pendant une heure et demie, dans la fureur des bruits de pas qui écrasent les tapis de course, nous avons tout donné. Sous les néons de la salle tapissée d'écrans plasma diffusant des clips de Nicki Minaj en train de remuer son impressionnant popotin, Carmen et moi avons transpiré. En cumulant nos efforts, on aurait pu récolter au moins 7 ou 8 litres de sueur. Et beaucoup de fierté aussi. D'abord celle d'avoir réussi à ignorer toutes les filles canon de 22 ans qui se dandinaient autour de nous en faisant des *selfies* « bouche coquine ». (Avec leurs corps parfaits, on se demande bien ce qu'elles foutaient là.)

Carmen m'a fait remarquer que certaines avaient eu recours à la chirurgie esthétique, elles avaient les seins refaits, les fesses ou les lèvres, ou les trois ! (Déjà ?)

« Nous, à notre époque, c'était un truc de vieille bourgeoise la chirurgie ! Maintenant, regarde ça ! À 20 ans, la meuf, elle est composée à 75 % de caoutchouc ! »

Et les hommes, ils se ressemblaient tous ! Des bandes dessinées à barbe !

Ils avaient exactement les mêmes tatouages le long des bras, les jambes rasées et la même coiffure (cheveux à ras à l'arrière et longs sur le dessus).

« On est où là ? À la soirée des sosies ou quoi ? Tout le monde se ressemble ici ! »

Peut-être qu'on n'avait plus l'âge. Tout simplement. À un peu plus de 30 ans, on commençait déjà à se sentir dépassées.

« Regarde-moi tous ces gars avec leurs sourcils épilés ! Putain, vraiment, je suis pas faite pour ce monde. Je crois que je suis pas née à la bonne époque. T'imagines, tu entres dans ta salle de bain le matin et tu vois ton mec en train de s'épiler les sourcils devant le miroir, il le fait sans complexe, il s'applique, il fait une forme et tout... ? Genre, normal ? Tu le regardes et tu lui demandes : *Chéri, t'as bientôt fini avec la pince ? J'en ai besoin...* Mais dégueu ! Horrible ! Je pourrais vomir. Moi, ça m'arrive, je lui mets un coup de pompe dans le dos ! Dégage de là ! Sortez de ma vie, toi et tes sourcils ! Prends un abonnement chez Body Minute et oublie-moi mon pote ! »

Complètement d'accord avec Carmen. Et cette même question qui me taraude encore. Où es-tu Charles Ingalls ? Où ??!

Alors non, je ne veux ni le popotin de Nicki Minaj, ni un faux nez, ni des nibards en plastique. Si j'avais une baguette magique, si je pouvais changer une seule chose, ce serait mon regard sur moi.

Aime-toi, le ciel t'aimera.

32 ANS

***

« NE PAS PARDONNER… »

… Et garder rancune, c'est comme se nourrir d'un poison et espérer que ce soit l'autre qui en meurt. »

Alors j'ai décidé de pardonner.

Je pardonne tout.

Car, depuis quelque temps, Lila a une nouvelle belle-mère. Elle l'appelle *Tatie*. Et cette tatie n'est autre qu'Antonina Brunelli, l'*EX*-maîtresse de mon *EX*-compagnon.

(*EX-cusez du peu.*)

« Maman, tu sais, Tatie elle est trop belle ! Elle passe à la télé ! »

Oui, ma fille admire la femme avec qui batifolait son père à l'arrière de notre voiture, après avoir ôté son siège bébé pour le mettre dans le coffre, histoire de faire plus de place. Elle la trouve belle, gentille, et s'assoit probablement sur ses genoux. Avec le temps, qui sait, elle deviendra peut-être sa confidente et, à l'adolescence, ma fille lui racontera certainement ses premiers émois amoureux et lui posera des questions sur les cycles menstruels. Pourquoi pas, après tout ?

Si, si. Je pardonne. C'est décidé. Je me laisse porter par un élan de clémence et j'en sortirai grandie. J'en suis certaine.

Évidemment, Lila a raison, niveau carrosserie, Tatie s'en sort plutôt pas mal. Papa a toujours eu bon goût.

Elle a des cheveux brillants qui ont l'air propres et brossés, et c'est évident qu'elle ne frise pas sous la pluie. Ses deux rangées de dents sont si blanches et alignées que si Chopin était en vie, il se précipiterait sur elle pour jouer son *Concerto pour piano en fa mineur*. Tatie a aussi des mains délicates, des yeux où le vert et le marron se mêlent si bien qu'on dirait du miel, elle n'a pas de cellulite, pas une vergeture, et pas la moindre ride.

(Pas de cul non plus d'ailleurs, mais plutôt un truc qu'on pourrait qualifier de dos prolongé.)

Je reconnais sans amertume qu'elle est jolie et, dans un esprit de paix retrouvée, je n'ai d'ailleurs aucun mal à évoquer son physique.

(C'est pratique, ça m'évitera de parler de l'intérieur, qui ressemble à s'y méprendre à une canalisation de W-C bouchée, comme dans la pub pour le Destop.)

Pourquoi revenir en arrière ? Le passé est passé. Haut les cœurs ! Allons de l'avant ! Et pardonnons, il n'y a que comme ça que l'on trouve son salut.

Tatie est persuadée que papa m'a quittée, c'est qu'il est doué pour mentir papa.

D'ailleurs, la maîtresse (je parle évidemment de la maîtresse d'école, celle qui instruit les enfants, et non de l'autre maîtresse, celle qui occupe les papas dans un hôtel à une porte de périph' pendant que les mamans essaient de les joindre désespérément sur leur portable), la maîtresse, donc, a posé la question en début d'année, *quel est le métier de vos parents ?* et Lila a répondu : « Maman : rien, et papa : il fait pour de faux. »

Si je n'ai rien tenté pour empêcher la potiche de sitcom de croire que c'est Eddy qui m'a quittée, c'est bien la preuve que j'ai mis ma rancune de côté. Je la laisse penser que je suis l'ex-femme aigrie qui n'a pas digéré la séparation, et qu'elle, c'est l'héroïne d'une histoire romanesque où la passion est plus forte que tout, si bien qu'elle a fini par l'emporter sur l'ennui et la morosité du couple.

Tellement cliché.

Carmen a le chic pour résumer la situation : « Tu crois qu'on les connaît pas, les vices des hommes mariés ? Ils sont tous pareils. Ils font les malheureux pour t'attendrir et venir pleurer entre tes lolos, *bouuuuh, j'suis triste, mon couple est mort, ma femme est chiante, elle me parle mal, on a plus de complicité, si je reste, c'est pour les gosses,* blablabla, *on fait plus rien ensemble depuis des mois, je la touche plus, elle me dégoûte*... ouais ouais, bien sûr, c'est ça ! Et le petit dernier, il est né comment ? Tu l'as fécondée par accident enfoiré ? Ou c'est en faisant la bise à ta femme pour son anniversaire qu'elle est tombée enceinte ?! »

À Carmen, on ne la lui fait pas. Au moindre doute, elle menace le type de téléphoner à sa femme pour tout lui raconter. Et comme par magie, elle n'a plus de nouvelles.

« Je lui fais croire que j'ai enregistré le numéro de chez lui, et qu'il me suffirait d'appeler pour vérifier s'il dit vrai ou s'il mythonne, et là, hop, ça lui donne tellement chaud qu'il s'évapore plus vite que de l'eau qu'on fait bouillir ! Tu peux être sûre que j'entends plus jamais parler de lui ! »

Je tiens à ajouter que, si je n'ai pas fait réestimer la pension alimentaire, c'est bien le signe de ma bonne volonté (alors même que je pourrais le saigner si je voulais, le faire cracher un paquet d'argent, lui faire tousser son oseille, des bons avocats à Paris, c'est pas ce qui manque !).

Mais non, on ne laisse pas les ombres d'hier obscurcir la lumière de demain.

La miséricorde, c'est ce qui sauvera nos âmes.

Désormais, c'est Tatie l'*officielle*, et puis ils se comprennent tous les deux, ils font le même métier. Elle est à la place qu'elle mérite. Elle s'est bien décarcassée pour ça. Faut dire qu'elle a donné de sa personne. Tout travail mérite salaire. À présent, à elle les couvertures de magazines, les vacances en Corse, les sacs à main Balenciaga, les bijoux de créateurs, les cocktails et les parfums.

Eddy est devenu un acteur en vue, il est même égérie d'une marque de fringues de bobos ultra-moches, mais qui coûtent la peau du dos prolongé.

Pour eux, c'est la gloire et les paillettes.

Je ne crois pas que Tatie passe des après-midi entiers avec papa et son panier de linge sale au lavomatic comme quand il habitait la caravane. Ni qu'il lui taxe dix balles pour s'acheter des clopes et prendre son café au bar-tabac *Le Celtic*. Je ne pense pas non plus qu'elle l'accompagne dans ses ambiances Pôle emploi ou figuration sous la pluie pour gratter des heures et un sandwich.

Encore moins qu'il passe ses nerfs sur elle quand il rate un casting.

Comme je l'ai dit, j'ai pardonné, d'un pardon pur et salvateur, et vous savez pourquoi ? Parce que je n'ai pas trouvé de meilleure façon de me venger.

***

« UNE VIE SIMPLE »

Je n'aime pas beaucoup les surprises, les tumultes, les chocs, les sursauts. Et pourtant, Dieu sait que je n'ai connu que ça.

J'aurais préféré une vie simple.

J'aurais aimé habiter une commune de Charente-Maritime, pas très loin de la mer, respirer de l'air iodé et conduire une Renault Scenic d'occasion. Évidemment, j'aurais un pavillon à la décoration un peu kitsch et je me plaindrais du crédit immobilier que j'ai sur le dos pour encore une bonne vingtaine d'années. J'aurais voulu travailler en tant qu'agent administratif pour une collectivité territoriale, avec des horaires de bureau, les jours fériés et tous les ponts. Mon petit plaisir, ce serait de prolonger ma pause café avec quelques collègues aussi faux-culs que moi, en chuchotant, pour être sûre qu'on ne m'entende pas dans le bureau d'à côté. Je me mettrais à critiquer allègrement la comptable dont la retraite approche, alors même que j'organiserais son pot de départ la semaine suivante (et que j'y tiendrais un discours émouvant pour la remercier de sa bonne humeur). D'ailleurs, j'achèterais une carte de vœux ringarde portant l'inscription : « Fini le boulot ! Enfin le repos ! Bonne retraite ! » que je ferais signer à tout le service, faisant fièrement le tour des bureaux en roulant de la croupe.

Je rêve parfois de ne penser à rien, d'avoir une collection de cartes de fidélité d'un tas de boutiques, d'imprimer des recettes de gâteaux avant de les ranger dans un classeur prévu à cet effet, et de revoir le spectacle des Chevaliers du fiel en replay à la télévision pour me détendre à la fin de ma semaine.

Je voudrais être pleine de naïveté, aller chez le coiffeur et lui montrer une photo de Jennifer Lopez en espérant sortir de là avec les mêmes cheveux.

J'aimerais être bluffée par les images *Avant/Après* des produits de régime qu'on vend au télé-achat, sauter sur mon téléphone, composer leur numéro surtaxé et en commander trois boîtes, parce que si je fais le calcul *avril/mai/juin,* oui, trois boîtes, ça ferait neuf kilos en moins, juste avant l'été.

Je voudrais être une femme qui marche dans le sable en espadrilles, qui se relaxe dans un bain moussant, qui rit à gorge déployée, qui parraine un enfant en Inde avec l'Unicef à hauteur de 12 euros par mois.

J'aurais aimé avoir des enfants déjà grands et râler quand ils m'empruntent la voiture, même si ça n'arrive pas souvent. Sortir avec leur père, aller au restaurant tous les vendredis soir par exemple, parce que c'est ce qu'on a toujours fait et qu'il s'est toujours soucié qu'on garde un moment pour nous. Car, dans une vie simple, je suis en couple, depuis au moins vingt-cinq ans, et j'ai toujours plaisir à regarder la cassette VHS de mon mariage ainsi que les albums photo des gosses, et quand on se promène en ville le week-end, on se tient par la main, c'est comme ça. Gilles et moi, on est encore amoureux, comme au premier jour.

Gilles, c'est le prénom d'un mari attentionné dans une vie simple. On se serait rencontrés au lycée, et on ne se serait jamais quittés. Il est tellement prévenant qu'il attend que je m'endorme en premier, à cause de ses ronflements. Il m'écrit même des poèmes de temps à autre. Ça lui prend comme ça. C'est ce qui arrive dans ce genre de couple, on n'a pas honte d'être romantique.

Dans une vie simple, il n'y a pas de place pour le cynisme, d'ailleurs. On trouve ça snob, très parisien. Nous sommes modestes et rien ne nous ravit plus que de poser des chips arôme barbecue et du saucisson sur la table basse pour les apéros à la maison. D'ailleurs, nos amis nous ressemblent, à peu de choses près, et c'est pour ça qu'on les aime. On part en vacances ensemble l'année prochaine, à Fréjus, chez Annick (c'est le prénom d'une amie sympa qui nous prête sa maison l'été quand elle part).

J'aurais rêvé d'être épargnée, de ne pas avoir connu toutes ces désillusions.

J'aurais voulu m'endormir paisiblement, sans rembobiner les épisodes douloureux de ma vie pendant des heures, simplement m'assoupir en lisant la biographie de Michel Sardou, que, sur la page, les lettres se troublent, après quoi j'irais rejoindre une licorne dans un rêve joyeux et enfantin, ce qui me mettrait de bonne humeur au réveil. Et sur la table du petit déjeuner déjà dressée par les bons soins de Gilles, des croissants chauds, de la confiture de groseille et du beurre normand, je me délecterais de l'odeur du café tandis qu'il me demanderait : « Tu as bien dormi, mon amour ? » et la réponse serait évidemment oui.

J'aurais voulu que les choses se passent autrement.

***

« GUSTAVE »

Gustave Flaubert a écrit : « L'avenir nous tourmente, le passé nous retient, c'est pour ça que le présent nous échappe. »

Quelle phrase Gustave ! C'est si percutant. Ça me parle tellement que j'ai l'impression que tu l'as écrite pour moi.

C'est ça la littérature mon pote. *La littérature, c'est le talent d'écrire mieux les mots qu'on ne ressent les choses*. C'est pas donné à tout le monde.

***

« LES SOUVENIRS »

« Maman, est-ce que c'est triste les souvenirs ?

– Heu... ça dépend. Y a des souvenirs tristes, et d'autres souvenirs qui sont joyeux...

– Comme quand on a fait du poney avec mamie au Jardin d'acclimatation ?

– Oui, par exemple.

– Et quand je suis tombée sur le menton dans la cour, c'est un souvenir triste ?

– Oui, enfin, pas vraiment triste.

– Si, j'ai eu mal !

– Oui, bon alors ça compte comme un souvenir triste si tu veux, oui.

– Pourquoi on peut pas effacer les souvenirs tristes de notre tête ?

– Comment ça : effacer ?

– Bah, comme sur l'iPad, quand on supprime les photos, les vidéos et tout...

– C'est pas possible de faire ça ma chérie... On contrôle pas ce qu'il y a dans la tête tu sais...

– Mais les souvenirs tristes, pourquoi on est obligé de les garder ?

– Je sais pas moi, c'est comme ça. C'est la vie. Y a des choses tristes et des belles choses. On garde tout.

– C'est nul.

– Si on gardait que les choses joyeuses et qu'on effaçait toutes celles qui nous plaisent pas, on aurait que des bons souvenirs, et du coup on ferait pas la différence.

– Ça veut dire quoi ?

– Ça veut dire que parfois on tombe sur le menton et parfois on fait du poney. »

***

« HIP-HOP »

J'avais ce walkman CD, le Panasonic Shock Wave, qui pesait une tonne et qui était trop gros pour tenir dans une poche. Calées dans le bus, Carmen et moi, on avait un écouteur chacune, moi le L et elle le R. J'ai mis des années à comprendre que ça voulait dire *Left* et *Right*, pour gauche et droite. Des années à réaliser que j'étais le Yin et elle le Yang. J'étais le Hip et elle était le Hop. Je comprends enfin qu'une telle complémentarité, qu'une amitié pareille, c'est rare et c'est précieux, que ça traverse les années, et certaines années qu'on a vécues avec Carmen, on peut dire qu'elles comptaient double.

Carmen avait des dizaines de piles de disques, elle avait ruiné la Fnac avec tout ce qu'elle tirait à l'époque. Alors que j'étais branchée variétés, elle, son truc, c'était le rap.

Elle connaissait par cœur les couplets de Lunatic, du Ministère Amer, de la Fonky Family, de NTM, d'IAM, de la Mafia K1 Fry, d'Oxmo Puccino, ou de La Rumeur.

Elle, fille de gardiens, choyée par sa mère, s'identifiait à leurs mots et pas à moitié.

Je la revois, dans son Levi's 501 classique, ses Buffalo à plateforme et son bombers Schott bleu marine, écouter en boucle « Demain, c'est loin » d'IAM, « Nirvana » de Doc Gyneco ou « Pas de temps pour les regrets » de Lunatic. On dirait que les rappeurs avaient écrit sa vie.

Moi, dans ces années-là, j'ai aimé Wallen, et encore maintenant, si j'écoute « L'Olivier », j'en chiale.

Alors, avec Carmen, on avait notre duo sur « Celle qui a dit non ». Je faisais Wallen et elle, Shurik'n.

La nostalgie nous consume, on donnerait tout pour y revenir, à cette époque, c'était l'apogée. C'était quelque chose de grandir dans les années 90. Ça a été une chance d'appartenir à cette génération.

On a le vague à l'âme en repensant à ce billet de 20 francs froissé, planqué au fond de notre banane Lacoste, aux épisodes d'*Hélène et les garçons* qu'on se lassait pas de regarder, même si on trouvait ça choquant qu'ils sortent tous les uns avec les autres (il faut dire que ça frôlait l'échangisme).

On se souvient des soirées qu'on passait à écouter la radio libre de Skyrock en cachette de nos mères, au journal intime qu'on écrivait en

Word 97, police Comic Sans MS, sur le premier ordinateur de Carmen, et qu'on enregistrait sur une disquette. On se souvient des heures passées à jouer au *Snake* sur son Nokia 3310 comme si c'était déjà le futur.

Et le futur, c'est maintenant. *C'est pas ce qu'on avait imaginé, c'est ni pire, ni mieux, mais c'est là et il faut bien le vivre.*

Comme l'a écrit Lunatic :

« *Pas le temps pour les regrets*
Les erreurs n'appartiennent qu'à nous-mêmes
Né pour amener ma part de progrès
Pas le temps pour les regrets. »

***

« REGARDER DEVANT SOI »

Ce qui se casse, se répare.

Ça a l'air si simple, dit comme ça.

C'est une phrase d'Apolo, le père de Carmen, qui, si on devait lui attribuer au moins une qualité, serait celle-ci : il est doué pour le bricolage. Moins pour la psychologie, mais ça, on l'aura bien compris. Parce que réparer les objets et briser les gens, c'est assez paradoxal.

Carmen a commencé une thérapie. De nouveau, elle avait envie d'étreindre la vie, comme avant, mais en mieux. Elle était d'accord pour qu'on l'aide. Elle avait enfin décidé de réparer ce qui était cassé, et si son père, qui ne lui a pas donné beaucoup d'amour, a réussi à lui transmettre au moins ça, c'est déjà pas si mal.

Carmen n'en pouvait plus de trembler, d'avaler des cachets et de mal dormir quand même, d'être fatiguée, de grossir, de se lasser des choses. Elle n'en pouvait plus de sursauter, d'être terrifiée par les bruits de moteur, elle en avait assez d'étouffer, elle comprenait enfin qu'il fallait qu'elle laisse échapper toutes ses peurs, qu'elle se débarrasse de cette ombre au-dessus de sa tête.

Il fallait régler cette histoire de culpabilité qu'elle traînait en permanence, parce qu'il faut dire que ça finissait par peser si lourd qu'elle ne pouvait même plus avancer.

Carmen avait décidé d'en finir avec ce gâchis.

Les premières années, elle en avait vu, des psys, peut-être une bonne dizaine. Sylvia l'avait traîné dans des tas de cabinets, recommandés par des tas de gens compétents qui avaient l'air d'en connaître un rayon sur le traumatisme, à tel point que, dans l'esprit de Carmen, tout se confondait. Elle trouvait que ces bureaux froids se ressemblaient, que les tableaux accrochés sur les murs avaient l'air d'avoir été peints par le même artiste torturé, que les livres entassés dans les bibliothèques en merisier ne semblaient pas avoir été lus, que les jambes se croisaient et se décroisaient à la même allure, que les fauteuils paraissaient confortables, mais qu'ils ne l'étaient pas tant que ça dès l'instant où elle s'y enfonçait. Longtemps, elle s'est fait croire qu'elle n'avait pas besoin d'en parler.

Et puis, avec cette femme, une blonde, ni jeune, ni vieille, juste ce qu'il faut pour lui faire confiance, Carmen s'était libérée.

À l'instant où elle lui a demandé : « Vous pouvez me parler de ce tatouage, là, sur votre poignet ? », Carmen a éclaté en sanglots.

Comme une évidence, elle a eu besoin de demander pardon. La femme blonde d'âge moyen l'y avait encouragée.

Sur les photos, Carmen le reconnaissait à peine. D'ailleurs, l'avait-elle vraiment bien regardé ? Avait-elle pu détailler son visage ? Il me semble qu'elle n'avait pas eu le courage, à l'époque.

Marc avait perdu ses cheveux et ses paupières tombaient anormalement pour un homme de son âge. Il avait un regard profond et plein de peine : de toute évidence, il avait beaucoup pleuré.

Mais, malgré la tristesse qu'on pouvait y lire, ses yeux refusaient d'abandonner, il leur restait de l'éclat, celui de quelqu'un qui avait combattu, qui n'avait pas cédé.

Sur la plupart de ses photos de profil, il était en voyage, quelque part, à la montagne ou dans le désert. Souvent, il apparaît seul, le bras tendu, il se prenait certainement en photo avec une perche pendant ses expéditions. Il souriait toujours. Un chapeau ou une casquette lui faisait de l'ombre sur le haut du visage, et malgré l'ombre il souriait.

Sur l'une des photos, il était debout près d'un jeune homme, qui devait avoir 16 ou 17 ans. Ils étaient à Paris, devant la Seine, on apercevait Notre-Dame derrière eux. C'était lui. Ça sautait aux yeux. Ils se ressemblaient. C'était son fils, Enzo.

Se rappellait-il sa mère ? Se souvenait-il de ses gestes, de son visage, de sa voix ou de la douceur de sa peau ?

À quel point lui avait-elle manqué tout ce temps ?

Carmen a décidé de ne pas trop y réfléchir, elle a écrit comme ça lui venait, elle a tapé les mots avec les deux index, simplement comme ils arrivaient. Les mots se sont bousculés, elle n'a pas cessé de taper sur le clavier, elle n'a pas arrêté de laisser glisser tous ces mots qu'elle avait gardés pendant quinze ans, enfermés à l'intérieur.

Après ça, elle a soufflé longuement, comme pour ne pas craquer, et puis elle a eu besoin d'une cigarette. Elle avait bien essayé d'arrêter aussi, mais chaque chose en son temps. C'était déjà pas mal d'avoir réussi à perdre huit kilos.

Il n'a pas fallu attendre longtemps.

Marc a écrit en son nom et celui d'Enzo, d'abord, il a remercié Carmen d'avoir pris la peine de faire cette démarche, qui, il en était conscient, n'était pas facile ; il avait été très ému de lire son message. Ensuite, il lui a parlé de leur deuil à tous les deux, Enzo et lui, et évidemment qu'il avait toujours su *qu'elle n'avait pas voulu ça, elle n'était même pas en état d'ivresse, elle ne roulait même pas à vive allure, et elle était si jeune*. Simplement, parfois, il fallait accepter la fatalité. Il demandait même à Carmen de ne pas s'en vouloir autant, de ne pas se torturer. Et d'apprécier de vivre, *car elle était toujours en vie, elle*. Enzo allait bien, il était très équilibré, Marc lui parlait souvent de sa mère, ils avaient appris à vivre sans elle, il y avait une autre femme qui était là maintenant, et ils goûtaient à nouveau au bonheur, et Carmen devait y goûter aussi, elle ne devait pas s'en priver. Il trouvait que cette thérapie était importante, ça l'avait beaucoup aidé, lui, c'était grâce à ça et à ses voyages qu'il avait pu surmonter cette épreuve. Il a fini par dire à Carmen qu'elle était évidemment pardonnée, parce que *ce n'était pas sa faute, ce n'était la faute de personne*. Il lui a raconté que, quelques années auparavant, il avait fait un voyage au Mali et qu'au cours de ce voyage il avait rencontré un homme, une rencontre très importante pour lui, car cet homme lui avait dit : « Il vaut mieux regarder devant soi que se retourner sur l'endroit où l'on a trébuché. »

Pour finir, il a simplement souhaité à Carmen d'être heureuse et de prendre soin d'elle.

Et il n'aurait pas pu mieux dire.

***

« LA PLUIE DE NOVEMBRE »

Je ne sais toujours pas si c'est une coïncidence ou non.

C'était le mois de novembre et il pleuvait à torrents, la pluie était froide et elle balayait le goudron. Comme dans la chanson des Guns N' Roses, le groupe fétiche d'Eddy. Je suis descendue de l'immeuble, la petite main délicate de Lila dans la mienne, elle portait son sac à dos *Docteur la Peluche* avec ses affaires du week-end ; à l'intérieur, ses vêtements sentaient l'adoucissant. Je mets un point d'honneur à ce que les vêtements de ma fille sentent le frais.

Elle m'avait demandé comme à chaque fois : « T'as pas oublié de mettre mon doudou dans le sac maman ? » et, comme à chaque fois, j'avais répondu : « Non, j'ai pas oublié, mais il serait temps que tu t'en sépares de ce doudou, t'es une grande fille maintenant. »

Ces dernières semaines, Eddy venait la chercher seul. Ce n'était pas toujours régulier, souvent il ne la gardait pas pour la nuit, mais il passait du temps avec elle, en tête à tête, et ça, c'était nouveau.

Sa compagne s'était tirée avec un autre. Elle l'avait quitté à la fin de l'été. C'est tout ce que je savais. Je n'en avais même pas tiré une quelconque satisfaction. Je ne m'étais même pas réjouie de son malheur. Je n'y étais pas arrivée.

Il avait l'air tourmenté. Son visage paraissait doux, il était rasé de près. Il n'avait pas de capuche ni de parapluie. Eddy laissait les gouttes de pluie lui glacer la figure. À le voir comme ça, on ne l'aurait pas cru capable de gifler une femme, de l'humilier, de lui cracher à la figure. Non, à le voir comme ça, on aurait dit un ange, plein de bonté.

Lila a sauté au cou de son père, comme souvent. Un McDo, un ballon, un ciné, une balade au parc, une semaine sur deux suffisait à faire de lui son héros. Les règles, les horaires, les devoirs et les punitions, ça, c'était moi. Et à choisir, je ne me serais pas attribué le rôle de la méchante, mais ce rôle, on ne le joue pas par choix.

« Lila, vite, monte dans la voiture et attache-toi.

– Attends, Zouzou s'te plaît, t'as une minute ?

– Pour quoi faire ?

– J'aimerais bien te parler.

– T'en as pour longtemps ? Il pleut.

– Écoute, arrête, on peut quand même se parler sans s'engueuler ?

– Je t'écoute.

– Voilà, ces derniers temps, j'ai beaucoup réfléchi, tu sais je vis des choses pas faciles... On me propose que des rôles de merde, j'ai changé d'agent, il me met des bâtons dans les roues, j'ai plus un rond à cause des impôts, je comprends tellement de choses maintenant... Je sais bien qu'on peut pas effacer le passé... Mais dans la vie y a des hauts et des bas, y a des choses qu'on regrette tu sais...

– Où tu veux en venir ? Je comprends pas. T'es en train de me gratter de l'oseille là ?

– Pas du tout... Écoute-moi... Juste écoute, et réfléchis... Je sais très bien que j'ai un peu déconné...

– *Un peu déconné ?*

– Attends, laisse-moi finir... Je sais que ça a été dur, pour moi aussi ça a été dur, ne crois pas que je l'aie bien vécue, notre séparation, ne crois pas qu'il y a que toi qui souffres... Mais au fond, je sais pas, je sens que c'est pas fini entre nous, je sais qu'il y a pas de meilleure combinaison que toi et moi... Et je me suis planté de croire le contraire... Je me suis planté sur toute la ligne. Je suis certain qu'on pourrait repartir à zéro. Y a plein de couples à qui c'est arrivé. Je sais qu'on s'aime encore. L'amour, ça s'efface pas comme ça... Tu vois, t'as pas refait ta vie... Moi, ça n'a pas marché non plus avec l'autre... Si on essayait de recoller les morceaux ? Juste penses-y, réfléchis au moins… C'est tout ce que je te demande. Pense à Lila, t'imagines, pour elle, avoir ses parents à nouveau ensemble… »

Je m'attendais à tout, sauf à ça.

Il m'a balancé son baratin en me regardant droit dans les yeux, tandis que la pluie s'abattait sur ses épaules, il n'a même pas eu honte.

Il y a des gens, ils n'ont pas honte, *ils sont nés avant la honte*.

Eddy a un niveau de culot jamais égalé.

Moi, j'étais sous un parapluie, bien à l'abri de la pluie froide de novembre, et je lui ai simplement répondu : « C'est tout réfléchi Eddy, et depuis très longtemps. C'est terminé. C'est le seul rôle que je te demande de jouer ; ton rôle de père. Bon week-end avec ta fille. »

Je ne me suis même pas retournée.

Désormais, je ne me retournerais plus.

***

« LES MOTS QUE L'ON CHOISIT »

Il faut admettre que ce n'est pas simple d'être une femme qui élève un enfant seule. Dans les magazines, on parle de « maman solo », on a dû inventer une formule un peu funky pour éviter de dire : *maman seule,* parce que *seule*, c'est trop *triste*. *Maman solo,* ça sonne comme un choix, c'est une formule plus soft qui ne raconte pas la trouille de tomber malade, la disponibilité permanente, ça ne raconte pas qu'on fait à la fois le gentil et le méchant flic, la maman et le papa, ça ne dit pas qu'on ne se repose pas, qu'on doit trimballer son enfant partout avec soi parce qu'il n'y a personne pour prendre le relais, qu'on ne peut pas craquer, que c'est obligatoire d'être forte. Ça ne raconte pas tout ça.

Le problème, ce n'est pas de vivre *sans homme*, ni de se séparer d'un homme, ce qui est difficile, c'est de ne pas vivre avec *l'idée qu'on a d'un homme*, ce qui est difficile, c'est de se séparer de cette idée.

Oui, c'est ça : *le plus dur, c'est de ne pas vivre avec Charles Ingalls.*

Pourquoi les hommes finissent toujours par partir ?

Ils fuient. Ils nous laissent. Ils ont d'autres choses à conquérir.

Les pères partent. Ils nous abandonnent. Ils s'en vont ailleurs.

Les pères disparaissent toujours, d'une façon ou d'une autre. Parfois, ils meurent. Ils s'en vont trop tôt. Ils ne nous laissent jamais le temps.

Les femmes restent. Elles sont là à faire de leur mieux. Elles ne sont pas lâches.

Est-ce que j'arriverai à faire de la place à quelqu'un à nouveau ? Est-ce qu'un autre sentira l'odeur de ma peau, encore ?

J'ai envie de croire que oui. Je voudrais me sentir belle et digne d'être aimée. J'aimerais réussir à transformer mes *échecs* en *expériences.*

Je n'ai pas envie d'abandonner. Si j'étais un homme, sans doute, je me poserais moins de questions.

Peut-être que les hommes sont plus légers.

Car on l'a perdue, notre légèreté, on l'a perdue pour toujours.

Ce n'est pas Dominique Strauss-Kahn qui me contredira, ce sont ses mots. Et les mots ont leur importance, on l'oublie trop souvent.

Lui, a été accusé de viol sur une femme de chambre et a qualifié ça de « faute morale ».

Oui, il faudrait redonner aux mots leur importance.

En 2011, dans cette suite 2806 du Sofitel de New York, une agression sexuelle a eu lieu, et c'est à la victime qu'on a pris sa légèreté pour de bon.

Les femmes ne devraient pas avoir le monopole de la culpabilité, c'est aux hommes d'être moins légers.

Et les mots que l'on choisit sont importants.

***

« UNE LONGUEUR D'AVANCE »

Qu'est-ce qu'on fête ?

La vie ? Ça se fête, la vie, non ?

On fête aussi la naissance de mon petit frère *Asirem*, pour qui deux moutons ont été égorgés au village. Mon père, *que je partage avec lui désormais*, s'est évanoui parce qu'il n'a pas supporté la vue du sang. Déjà en voyant la lame bien aiguisée briller au soleil, il avait commencé à se sentir mal. Alors au moment où on a tranché le cou de la bête, évidemment, il est devenu livide et s'est effondré comme une loque dans le jardinet de la maison des parents de sa femme, qui était morte de honte.

« *Semmeh iyi*, j'aime pas les hommes fragiles, ha no. Pas du tout. Il n'a même pas tenu une minute. Si t'avais vu ça, mes neveux qui ont 9 ans, 10 ans, ils ont aidé mon père à tenir le mouton, ils riaient, et Akli, lui, n'a eu aucun courage ! *Ha Yemme,* une goutte de sang, il était à terre. Heureusement qu'il était trop jeune pour la guerre. S'il n'y avait eu que des comme lui, qui aurait libéré l'Algérie, dis-moi ? »

Asirem, ça veut dire « espoir ». C'est Zelgoum qui en a eu l'idée, et on a tous été séduits.

L'espoir, c'est très séduisant. Ça chante une promesse à l'oreille, celle d'un avenir radieux.

Je me suis demandé quelle langue mon père allait lui parler.

C'est évident qu'il n'hésitera plus. Cette fois-ci, il ne se limitera pas.

Il fera à son fils les louanges de ses montagnes, lui clamera leur beauté, comme l'a fait jadis son propre père, avec fierté, en lui mettant la main sur l'épaule, sous un soleil brûlant. Dominant un vaste champ de blé, mon père, qui était encore un enfant, regardait cette terre, persuadé que bientôt viendrait son tour de la labourer. Résultat, à part ma mère, il n'a pas labouré grand-chose. Il n'a même pas la main verte.

Bien sûr, il parlera à Asirem de sa grand-mère Taous et de son métier à tisser, il lui parlera de tous ses rêves qui se sont envolés, en même temps qu'Akli, son fils unique, s'est envolé pour la France.

Il lui racontera son histoire, il le mettra sur le bon chemin, et Asirem, contrairement à moi, n'aura pas la sensation de passer sa vie à un rond-point, hésitant sur la sortie à emprunter.

Le retour tardif de mon père au pays a été une vraie cure de jouvence, il en est revenu métamorphosé. Mon père n'est plus le même homme.

J'espère qu'un jour on en fera partie aussi, de cette nouvelle étape de l'histoire, Lila et moi. Qu'on pourra aussi fouler cette terre. Qu'on se promènera ensemble au village. Akli, Lila, Zouina, Zelgoum et Asirem, la famille Azouz au grand complet. Et on emportera un Scrabble, et c'est évident qu'il n'y aura pas assez de Z pour nous tous.

Asirem est arrivé comme un signe qu'on a droit à l'espoir. Tous autant que nous sommes, nous devons espérer.

Cela devrait être un droit fondamental, qu'il faudrait inscrire dans la constitution.

Ceux qui espèrent ont toujours une longueur d'avance.

***

« CE QUI SERAIT BIEN »

Si ma mémoire est bonne, c'est Nicolas Sarkozy, l'ancienne idole de ma mère, qui avait essayé de nous faire gober ça, il y a plus de dix ans. C'était son slogan : *Ensemble, tout devient possible.*

Et paradoxalement, en dix ans, lui, et d'autres comme lui, ont brisé ce qu'il restait de cet *ensemble*. Ils l'ont divisé au Karcher.

Ce serait bien qu'on arrive à se reconstruire un *ensemble*, à retrouver notre élan en tendant les bras, de nouveau, pour aller chercher l'espoir, quelque part devant.

Est-ce que c'est indécent de parler d'avenir ?

Pourquoi la violence est-elle devenue si banale ?

Ce serait bien qu'on ne soit pas contraints d'expliquer à nos enfants pourquoi des gens assassinent arbitrairement des innocents au nom de leurs fausses croyances. Ce serait bien que ce ne soit pas si logique d'ouvrir son sac à main à longueur de journée, comme ça, pour vérifier, partout, tout le temps. Ce serait bien de vivre dans un monde où le *terrorisme* ne frappe pas sans cesse, ce n'est pas ordinaire, un *attentat*, et peu importe où ça arrive, ça devrait nous toucher de la même façon, car *un innocent en vaut un autre*.

Ce serait bien qu'on ne s'habitue pas à la terreur. Ce serait bien qu'on arrête d'avoir la trouille au ventre, dans les aéroports, les gares, les sites touristiques, les avions, les trains, les métros, les terrasses des cafés, les salles de spectacle, les stades.

Les dates s'empilent, se succèdent, les unes après les autres, jusqu'à se confondre : mars 2012, janvier 2015, novembre 2015, juillet 2016... Des enfants, des femmes, des hommes, des juifs, des musulmans, des jeunes, des vieux, tous innocents, et dont les familles ont été privées de manière atroce et injuste.

Il y a eu le recueillement, les veillées, les cierges, les hommages, et maintenant on fait avec. On fait avec la peur.

Je dois expliquer à Lila que tout cela fait partie de la vie, et qu'*ensemble* il nous faudra tout surmonter.

Ce serait bien que la solidarité se remette en marche et qu'on arrête de laisser nos vieux à l'abandon, de les mettre à l'écart. Ce serait bien qu'on cesse de les ignorer tellement ça nous fait peur de les regarder en face, tellement on a le trac de leurs figures pleines de rides, de leurs corps fragiles qui se cassent en mille morceaux, de leurs peaux flétries sous lesquelles des veines menacent d'imploser à chaque instant. Ce serait bien qu'on ne s'en éloigne pas pour échapper à leur douleur, à leurs maladies, à leur pourrissement, à leur mémoire qui déraille. Il faudrait leur poser des questions au lieu de regarder des *tutos* sur YouTube pendant des heures. Tant qu'ils sont encore là, parmi nous, ce serait bien qu'on s'en occupe. Et qu'on admette qu'on va devenir comme eux.

Ce serait bien qu'on accepte qu'on finira tous pareil ; c'est-à-dire *morts*. Et qu'on y réfléchisse de temps en temps.

Qu'est-ce qu'on veut laisser à nos enfants ? La téléréalité ? Le plan Vigipirate ? Donald Trump ? Le silicone dans le popotin ?

Et si on leur laissait une certaine idée de la vie ?

Si on leur laissait de la beauté ? De la poésie ? Des sentiments ?

Si on se débarrassait de ce blues ?

Car, oui, la vie mérite d'être fêtée. Il faudrait célébrer la vie qu'on nous donne à vivre et ne pas en faire n'importe quoi.

Table des matières

Partie I. – LE PASSÉ (décomposé)

Partie II. – LE PRÉSENT (est un cadeau)

Composition et mise en pages
Nord Compo à Villeneuve-d'Ascq

Imprimé en France par CPI en décembre 2017
Dépôt légal : janvier 2018 - N° d'impression : 3026565
36-4711-2/01